TWEEMAAL ZEVENTIEN

Laura Adriaanse

Tweemaal zeventien

2008 Prometheus Amsterdam

Dit boek draag ik op aan jou, Papa
† 30 april 2007

Tweemaal zeventien is een fictieve roman. Misschien denkt u personen in dit boek te herkennen. Dit berust dan op een misverstand. De realiteit van een roman is altijd anders dan de werkelijkheid.

Omslagontwerp Gülschen Artun
Illustratie omslag Anne Mercker, *The dreamer 2* (2006)
Foto auteur Jos van den Berg
www.uitgeverijprometheus.nl
ISBN 978 90 446 1028 4

‘Zul je er zijn als je er niet meer bent?’

Vandaag heb ik het gedaan, ik heb je weggelegd. Op klaarlichte dag. Voor het oog van de hele wereld. Ik heb geen spijt en geen reden. Ik denk alleen dat ik niet voor je kan zorgen. Ik kan wel van je houden maar de schuld is te groot.

Rosa

Ik wandel door de straten. Het is eindelijk herfst geworden na een lange hete zomer. Het is fris. Over mijn linkerschouder draag ik een rieten boodschappentas en in die tas zit jij. Je slaapt. Ik heb je zoveel laten drinken, dat je voorlopig niet wakker wordt. Het is maar beter ook. Ik versnel mijn pas, probeer de onrust te onderdrukken, de opkomende paniek, die rare stemmen in mijn hoofd, ik ren...

In het park kom ik tot rust. Ik ga tegen een oude kastanjeboom zitten en haal je uit de tas. Je slaapt nog steeds. Je kleine hoofdje rust vol vertrouwen tegen mijn schouder. Ik fluister, ik doe je een belofte, ik vraag je iets, ik bid, ik huil niet.

Ik kijk om me heen. Het park is leeg. Aan de overkant van het water fietst iemand voorbij. Dan doe ik het. Ik wikkel het felblauwe dekentje stevig om je heen om je te beschermen tegen de kou en leg je tussen twee knoestige wortels van de boom zodat je niet weg kan rollen. Even raakt mijn hand de ruwe bast en in een opwelling vraag ik de boom je te beschermen. Ik adem in en ren weg.

Ik ben terug gelopen en zit nu op een bankje aan de overkant van het water verscholen achter een rij gouden bomen. Ik haal een krant uit de tas en doe of ik lees. Van achter de grote glazen van mijn donkere zonnebril tuur ik echter onafgebroken naar de vage stip in de verte. Ik probeer de kleur van het blauwe dekentje te omlijnen in het groen van het gras. Je ligt er nog. Even overweeg ik een schuilplek dichterbij te zoeken maar iets weerhoudt me. Gespannen wacht ik af.

Zie ik er niet totaal bezopen uit? Ik voel me ineens een der-

derangs actrice die zojuist is weggelopen uit een geflopt psychodrama. Ik val eerder op in die halflange beige regenjas, die mijn aanwezigheid uit ieders geheugen zou moeten wissen deze dag. En dan die rare grote bril, verscholen achter een krant. Niemand zit te lezen op dit uur van de dag. Af en toe een fietser, op weg naar iets of iemand. Maar niemand in een beige regenjas en een veel te grote bril. Vanuit mijn ooghoeken glimp ik weer richting de boom. Er is nog niets gebeurd.

Het wordt drukker in het park. Om niet in de gaten te lopen probeer ik een ontspannen houding aan te nemen en glimlach ik wat voor me uit als een zenboeddhist. Maar juist op dat moment springt onverwachts een enorme herdershond uit de struiken. Hij lijkt op een politiehond uit zo'n Duitse krimi. Ik duik ineen en knijp mijn ogen dicht om de realiteit te stoppen. In slow motion vliegt het monster door de lucht om zich met opengesperde kaken op je te storten. De wereld vergaat, ik doe moeite om niet te schreeuwen. Straks vreet hij je nog op. Ineengedoken wacht ik af. Als ik mijn ogen weer open en voorzichtig door mijn oogharen gluur, zie ik hoe het beest wat snuffelt op de grond. Gelukkig, je leeft nog.

Dan ineens komt uit dezelfde struik een grote neger tevoorschijn. Hij heeft een kale kop, draagt sportkleding, veel goud en een hondenketting om zijn nek. Hij lijkt op B.A. uit *The A-Team*. Hij roept zijn hond maar de hond luistert niet. Hijgend is hij naast je onder de boom gaan zitten. Vloekend en tierend loopt B.A. richting de hond, maar de hond verroert zich niet. Dan bukt de sportschoolicoon zich naar de grond, kijkt om zich heen, gaat door zijn knieën, weer omhoog, kijkt om zich heen, slaat zijn hond en wandelt door. Nog eenmaal kijkt hij om.

Maar na twintig meter staat hij stil, draait zich om en loopt terug naar de boom. De hond volgt gedwee op lage poten en met gebogen kop. Voorzichtig pakt B.A. je op en neemt je in zijn armen. Hij loopt met je rond en kijkt zoekend om zich heen. Zou je huilen nu?

Van rechts komt een vrouw in een rode jas het grasveld op gerend. Een grote witte poedel met geschoren poten en opgeheven hoofd draaft statig achter haar aan.

De neger wenkt de vrouw. De vrouw lijkt te aarzelen maar komt dan toch dichterbij. Ze overleggen. Dan overhandigt Mr. T je aan de vrouw, trekt zijn trainingsjas uit, legt deze over je heen en draaft met ontbloot bovenlichaam naar de uitgang van het park. Hij roept zijn hond maar de hond komt niet. Hij is achtergebleven bij de vrouw en verliest je geen moment uit het oog.

De vrouw is gaan zitten op een bankje aan de andere kant van het water. Ze maakt wiegende bewegingen. Links op de bank zit de poedel en de herder heeft zich als een wakend standbeeld rechts opgesteld. Het is een raar schilderij. De vrouw speurt het park af en even lijkt het of ze me recht aankijkt. Om geen argwaan te wekken voer ik een meerkoet met een pakje Stimorol. Ik kijk omhoog en zie dat de lucht begint te betrekken.

En dan ineens zijn ze daar. Politieauto's, agenten, mensen van de GGD, alarmcentrale. Voorbijgangers die toestromen: 'Wat is er gebeurd?' Een vrouwelijke agent neemt je over van de vrouw en lijkt tegen je te praten. Ze loopt wat met je rond en na een paar minuten overhandigt ze je aan een man met een witte jas. Het begint zachtjes te regenen.

Tijd om op te stappen. Het is alsof ik ineens tien kilo lichter ben. Het regent harder nu. Opgelucht dansen mijn voeten in de regen. Eindelijk vrij, niemand zal mij ooit nog tegenhouden.

Als ik de sleutel in het slot steek van de zolderkamer wacht me een lege ruimte met enkel een paar dozen. Er is geen weg meer terug, mijn nieuwe leven is begonnen. Ik ga op de grond zitten en schrijf een paar regels in mijn dagboek. Dan pas voel ik hoe moe ik ben. Van een oud gordijn, achtergelaten door de vorige bewoner, maak ik een matras. Diep kruip ik weg in mijn slaapzak en val uitgeput in slaap. Ik droom over een herdershond die me aankijkt, alleen maar aankijkt, hij knippert niet één keer met zijn ogen.

De weken die volgen hou ik me verborgen in mijn nieuwe woning. Ik mijd de kranten, het nieuws en de mensen. Ik leef op mijn zolder als een onderduiker in de Tweede Wereldoorlog. In feite besta ik niet. Ik wil ook niet bestaan, ik ben bang, weggevlucht voor mijn daden, de impact.

Die weken breng ik slapend door en schrijf je honderd schuldbekentenissen. Als de storm van mijn geweten is gaan liggen, pak ik mijn tekenspullen en meld me, nog net op tijd, bij de kunstacademie.

Rosa

De wereld is kil, de wereld is wreed en koud in mijn ogen. Ik ben Rosa Menalos, zestien jaar oud en heb geen idee wat ik met mijn leven aan moet. Waar die onverschilligheid vandaan komt weet ik niet maar er zijn momenten dat ik liever dood ben dan dat ik leef.

Op mijn vijftiende werd ik van school gestuurd, onhandelbaar.

'Jij redt het wel,' zei de conrector opgewekt terwijl hij me ter afscheid een hand gaf om me vervolgens persoonlijk naar de buitendeur te begeleiden. Ik red het wel? dacht ik. Wat moest ik redden? Wat viel er te redden? Mezelf, de wereld misschien? Wat moest ik zien te redden? Een aangepaste wereldburger worden, een baan van negen tot vijf, een huis, een tuin, een kind? Leven om te overleven? Dat nooit!

Thuis is het op het moment niet veel beter. Een kleine eilandengroep waarvan de eilanden net iets te ver uit elkaar liggen om elkaar nog te kunnen bereiken. Het is alsof we elkaar niet meer begrijpen. Of willen we dat niet meer?

Mijn ouders liggen in scheiding. Sinds mijn moeder mijn vader dansend in de slaapkamer heeft betrapt in haar nieuwe Versace-jurk, een nummer van Marilyn Monroe playbackend, heeft ze het offensief geopend. Een zwijgend offensief welteverstaan. Ik had liever dat ze elkaar officieel de oorlog hadden verklaard dan deel uit te moeten maken van deze mentale terreuracties. Ze spelen *mind games* met elkaar en gebruiken hiervoor pinteriaanse teksten.

Mijn moeder: 'Kun jij je nog herinneren', en dan volgt: 'het moment dat ik je dansend en zingend aantrof in mijn nieuwe jurk?' Dan mijn vader: 'Nee, dat kan ik me niet meer herinneren', gevolgd door een lange geladen stilte die soms twee dagen duurt. Mijn moeder is orthodox christen en in haar wereld is geen plaats voor kleine fantasieën.

Vorig jaar ben ik drie keer van huis weggelopen. De eerste keer ben ik een nacht weggebleven. Ik ben naar het strand gegaan, ben voor de zee gaan zitten en heb daar heel hard gehuild om mijzelf, de wereld en mijn dansende vader. Omdat niemand mij opmerkte en niemand doorhad dat ik was weggelopen heb ik nog twee pogingen gedaan. Eerst een paar dagen, daarna een week. Toen ze me thuis niet leken te missen ben ik de laatste keer maar op het strand gebleven. Alleen mijn jongere broertje liet ik achter.

Met mooi weer werk ik op het strand. Ik heb onderdak gevonden bij een kermisfamilie met een poffertjeskraam die in het seizoen een strandtent runt. 's Zomers slaap ik onder het afdakje van de toiletten waar je 's nachts door de gaten in de golfplaat de sterren kunt zien. Urenlang kan ik naar de sterren kijken en ik vraag me af hoe het kan dat het dak van deze rotte wereld zo mooi en geruststellend is. De fooi die ik verdien spaar ik voor de winter.

'S Nachts zwerf ik vaak door de stad. Alleen of met mijn hartsvriendin Mandie. Op zoek naar iets of iemand, iets wat ik nog niet ken. De warmte van de duisternis?

Steeds vaker zoek ik mijn toevlucht in café Het Paradijs, een rovershol in het hart van de binnenstad waar de kogelgaten in de muren zitten.

De kern van dit café bestaat uit een uitzonderlijk gezelschap. Juan, de Italiaanse eigenaar, een opvallend innemende en gedistingeerde verschijning in dit duistere hol, die iedereen die zijn café bezoekt bij binnenkomst met een stralende lach een vuurtje aanbiedt. Ook de niet-rokers. Hij loopt mank en het verhaal doet de ronde dat hij bij een drugsdeal in zijn knieschijf is geschoten.

Zijn vriendin en compagnon Minka, een krachtige, volkse vrouw met blauwzwart haar, een loensend oog en een gouden hoektand waar ze mensen die te dichtbij komen mee schijnt te bijten.

Een aantal barvrouwen op leeftijd waarvan er een La Mama heet. Ze kan zo vreselijk hard en aanstekelijk lachen dat je alle ellende en schietpartijen die daar plaatsvinden op slag weer vergeet. Bovendien is ze doof aan één oor en gek op zingen. Niet zelden trakteert ze de nachtelijke bezoekers op een ingeleefde performance. Met lange uithalen zingt ze dwars door de muziek heen.

'Mexico, Mexi-iiiicooooooo, o land van al mijn dromen,' zingt onze hoogblonde mama die zelf geboren en getogen is in de Haagse Schilderswijk.

Flora, de toiletjuffrouw met het glazen oog die een handeltje heeft in poppers, glijmiddelen en condooms en je hand leest voor een rijksdaalder terwijl je in de rij staat te wachten op de cokesnuivende meisjes in de wc.

En de Chinees van wie ik nooit heb kunnen achterhalen wat zijn functie is in het geheel. Een stille, eenzame verschijning, gekleed in een gekreukt pak die nachtenlang alleen aan de bar zit, geen druppel alcohol drinkt, geen rekening heeft en die ik nog nooit een woord heb zien wisselen met iemand. Hij is zo onopvallend aanwezig dat je hem gaat vrezen. Hij zit daar maar te zitten, een enkele keer staat hij op alsof hij een belangrijke beslissing gaat nemen, maar gaat vervolgens toch weer zitten.

En niet te vergeten, Wolf, een van de portiers, die de opdracht heeft ons te beschermen tegen ongewenste indringers. Aangezien de meeste ongewenste indringers al binnen zitten, kun je dit beter vertalen naar: de undercovers buiten houden. Wolf is één brok dynamiet met een schietklare Browning Target Gold in zijn broekriem. Er wordt gefluisterd dat hij vrouwen tegen hun zin heeft genomen. Heimelijk verlang ik ernaar dat hij mij een keer tegen mijn zin neemt maar hij toont zich hierin een echte heer. Hij wil dat ik wacht tot ik zeventien ben.

Het is er warm en gezellig. Beter dan thuis, als je niet verder kijkt dan de warmrode lampjes, het versleten chesterfieldbankstel achterin en het spiegelglas achter de bar waarin je jezelf zo schaamteloos kunt bewonderen. En ik kijk naar mezelf en zie de mannen naar me kijken. Met een speciale blik in hun ogen. Alsof ik iets heb, een soort geheim, alsof ik bijzonder ben.

Ik zie eruit als een groupie en ben zo brutaal als een gauwdief. Lang donker getoupeerd haar, grote zwartgekohlde ogen, een tijgerlegging, hooggehakt en een veel te grote mond. Ik rook shag, drink whisky on the rocks en als ik dronken ben vertel ik de ene schuine mop na de andere. Ik ben een duivelse engel, een luciferiaan.

❖

Het is nog rustig als ik binnenkom die avond. 'Saturday Night' van Herman Brood schalt door het halflege café als ik heupwiegend op de bar toe loop. Een paar mannen aan het eind van de bar staken hun gesprek. Ik voel de blikken op me gericht. Van alle kanten word ik bekeken. De mannen met een bedoeling, een plan, de wat oudere vrouwen met een mengeling van jaloezie en verliefdheid. Hun ogen branden lichte schroeiplekken in mijn lichaam. Het geeft me een aangenaam tintelend gevoel. Het gevoel te worden opgemerkt, dat er misschien toch een reden is voor mijn bestaan.

Ik neem plaats aan de bar vlak bij de deur en krijg mijn eerste drankje aangeboden. Ik weiger beleefd en bestel een whisky. Een wat oudere barvrouw met een kort witgeblondeerd kapsel met zwarte strepen schenkt in. Haar gezicht is gekliefd door spijt en verval maar haar ogen staan vriendelijk. Ze knipoogt naar me en geeft me een vuurtje. Ze lijkt op een ekster.

Ik rook en kijk voor me uit, zogenaamd niet op de blikken lettend. Zo zit ik een tijdje voor me uit te staren, verzonken in mijn spiegelbeeld. Ik observeer de volle rode mond, mijn grote ogen, die purper lijken in het kaarslicht en vind mezelf mooi, volwassen. Ik kan niet zien hoe jong ik ben.

Er is iemand binnengekomen. Een man loopt achter mij langs en gaat iets verderop aan de bar staan. Ik volg hem uit mijn ooghoek. Hij lijkt opgejaagd, nerveus alsof hij achterna gezeten wordt. Er valt een stilte. De gesprekken verstommen en het personeel achter de bar lijkt op zijn hoede. De man bestelt een dubbele whisky, gooit deze in één keer achterover, zet met een klap het lege glas op de bar en bestelt er dan nog een. De ekster die de fles nog in haar hand heeft, schenkt opnieuw in, zet de muziek iets harder en de gesprekken zetten zich weer voort.

Dan ziet de man me zitten. Zijn ogen vernauwen zich en als een roofdier met een prooi in zijn vizier sluipt hij dichterbij. Hij gaat op de barkruk naast me zitten en zegt geen woord. Het is alsof een elektrische kracht mij bekruipt. Als een ruwe, warme wind streelt zijn blik de zijkant van mijn gezicht, mijn hals, mijn schouders en mijn armen. Mijn wangen beginnen te gloeien. Niemand heeft ooit zo intens naar me gekeken. Het is alsof ik word gekust en berooid. Ik kijk voor me uit en speel een spel dat ik niet ken. Maar zijn wil is sterker en mijn nieuwsgierigheid wint het. Via het spiegelglas achter de bar kijk ik naar hem. Tussen de fles wodka en de bacardi ontmoeten onze blikken elkaar. Vreemd ziet hij eruit. Geen gewone man. Hij heeft een gebruind gezicht met scherpe lijnen en halflang golvend donkerblond haar. De boord en de manchetten van zijn witte, kraakheldere overhemd zijn gesteven. Ik draai me een halve slag om en kijk in zijn ogen. Vreemde ogen, goudgroen met donkere spikkeltjes. Ik weet niet of ik deze ogen mooi vind maar zijn blik houdt me gevangen. Jaloerse ogen heeft de man die minstens twee keer zo oud is als ik.

'Ik ben verliefd,' zegt de man.

'O,' zeg ik.

'Op jou,' zegt de man.

'Goh,' zeg ik, 'dat is snel.'

'Tien minuten,' zegt de man alsof hij het heeft geklokt en schudt met een achteloos gebaar een gouden Rolex uit zijn rechtermouw.

'Goed, jij bent verliefd.' Ik besluit het spelletje met hem mee te spelen. 'En nu? Wat doen we nu?'

'Nu ontvoer ik je,' zegt de man.

'Spannend. Waarheen?'

'Waar je thuishoort,' zegt de man. 'Bij mij.'

De man is gek maar het klinkt goed wat hij zegt, ergens thuis te horen. Hij wauwelt over mijn blanke zwanenhalsje, mijn enkels, mijn mond en het moedervlekje op mijn linkerhand. Hij voert me whisky en verhalen, verhalen over zijn penthouse aan zee met jacuzzi en champagnebar, een eigen paard, lange zomerdagen en mooie kleren om te dragen. Ik weet dat de man liegt maar omdat het precies is wat ik op dit moment wil horen geloof ik hem.

Het is vroeg als ik de volgende morgen probeer in stilte de trap op te kruipen. Mijn moeder staat als een geestverschijning boven aan de trap en kijkt zwijgend toe hoe ik me in totaal beschonken toestand aan de trapleuning naar boven hijs. 'Je bent precies je vader,' mompelt ze.

❖

Eindelijk, zeven uur. Ik ben kapot. Vermoeid gooi ik mijn sloof in de wasmand en rook een sigaret zittend op het zinken aanrecht.

Verslagen bestudeer ik mijn geruïneerde nagellak. Sinds kort heb ik er een baantje bij als afwasser van een drukbezocht eetcafé in het centrum van de stad. Het verdient goed maar verdubbelt mijn gevoel van waardeloosheid. Om dit te compenseren zorg ik ervoor dat ik er elke dag perfect uitzie. Onder mijn smerige schort vol met mayonaisespetters en satésaus draag ik superstrakke spijkerbroeken, dure truitjes van gehaakt leer en kijk ik om de twintig minuten even in mijn zakspiegeltje. Toch werk ik hard. En daar sta ik dan als een vergeten Assepoester die zich nu al te bezoedeld voelt om ooit een glazen schoen te passen.

Omdat ik na het uitschrapen van vijf reuzensatépannen en het afwassen van tweehonderdtwintig borden met etensresten behoefte heb aan frisse lucht besluit ik naar mijn ouderlijk huis te wandelen. Het voorjaar wil dit jaar maar niet beginnen en het is nog te koud om op het strand te slapen.

Tijdens mijn wandeling wil ik nadenken over mijn leven, wat ik ermee aan moet, wat ik met mezelf aan moet. 'Iets met kunst' was de 'weloverwogen' uitslag van een oriëntatiecursus voor ontspoorde en ontsporende jongeren, die ik volgde toen ik op mijn vijftiende van school werd geschopt.

Ik loop door de stad en kijk naar de voorbijgangers. Kan iemand mij soms redden? Ik heb het gevoel dat ik het alleen niet red. De gezichten zijn leeg, uitdrukkingsloos. Niemand lacht. Het bevestigt mijn gevoel, het leven is leeg, er is geen bedoeling.

Als ik de stad uit ben, ga ik binnendoor. Ik loop langs de weilanden, door het winkelcentrum en sla het kleine bospad in dat het winkelcentrum verbindt met onze wijk. Aan het eind van het pad staat een witte Mercedes met een zwart dak verdekt opgesteld achter een paar struiken. Als ik er voorbij wil lopen schiet er een raampje open. Het is de man uit het café. Hij grijnst verliefd naar me.

'Hoe heb je me gevonden?' vraag ik nogal overdonderd.

'Telepathie,' zegt hij terwijl hij me aan blijft staren.

'Wat is dat?' vraag ik dan. 'Een stratenboek of zo?'

De man lacht raar.

'Nee, voorstellingsvermogen. Jij doet iets en ik kan zien wat je doet terwijl ik niet in de buurt ben.'

Hij opent het portier. Onwillekeurig doe ik een stap achteruit.

'En wat heb ik gedaan?'

De man sluit zijn ogen. 'Je hebt gewerkt en bent naar huis gelopen. Eerst door het centrum, later ben je binnendoor gegaan, door de weilanden.' Het is even stil. 'Je hebt nagedacht.'

Ik ril, ik wil naar huis maar iets weerhoudt me.

'Hoe kan dat?' vraag ik dan.

'Leg ik je later nog wel eens uit,' glimlacht hij geheimzinnig.

'Kom, stap in,' vervolgt hij vriendelijk, 'we gaan een eindje rijden.'

Omdat er thuis die avond toch niet op me gerekend wordt, stap ik in.

We rijden een stukje, we zwijgen, het is warm in de auto.

'Hoe heet je eigenlijk?' vraagt de man.

'Rosa,' zeg ik.

'Rosa,' zeg ik nog een keer als hij niets zegt.

'Tweemaal Rosa,' zegt hij.

'Rosa Menalos. En jij?'

'Sylvo,' zegt hij, 'zeg maar Sylvo.'

'Rare naam. Heb je die zelf bedacht?' De man lacht kort en kijkt even opzij.

'Mijn moeder, ze is een Roemeense,' zegt hij dan.

We zwijgen weer en ik heb het benauwd.

'Mag er een raampje open?' vraag ik om maar weer iets te zeggen.

Als Sylvo niets zegt doe ik het zelf. Vluchtig kijken we elkaar even aan.

Hij tuurt de weg weer af en ik heb de gelegenheid de zijkant van zijn gezicht te bestuderen. Hij lijkt een beetje op Beethoven, die dunne lippen, de gespannen kaaklijn en de te hoge haarinplant. Nog steeds stilte. In zijn kaak trilt een spier.

'Ben jij soms een pooier?' flap ik eruit.

Ik schrik van mijn eigen vraag en weet niet waar dit vandaan kwam. Zijn gezicht verstijft, zijn kaakspieren trillen hevig en ik vraag me af of hij nu kwaad op me wordt. Maar dan barst hij in lachen uit, een donker lachen. Een antwoord krijg ik niet. Maar het antwoord zit vanbinnen. Ik zwijg maar weer en probeer het dwingende gevoel te negeren. De stem die me vertelt uit te stappen voor het te laat is.

Maar ik blijf zitten, ik voel geen angst. Ik heb een gave, ik kan andere mensen gelukkig maken. Ik kan het kwaad veranderen in het goede, de duisternis in het licht. En zo begint mijn duel met de duisternis.

Ook al ontmoeten Sylvo en ik elkaar meestal 's nachts, ook overdag lijkt hij precies te weten waar ik me bevind. Overal duikt hij op. Vaak geheel onverwacht, als ik zomaar ergens op de bus sta te wachten of na afloop van mijn werk met een omweg naar huis toe loop. Zijn intuïtie lijkt feilloos, zelfs op plekken waar ik nooit eerder ben geweest weet hij me te vinden. Als ik met Mandie een onbekend café bezoek, kan ineens de deur openzwaaien en dan komt hij binnenzwieren met een triomfantelijke blik in zijn ogen.

Omgekeerd werkt het niet. Als ik naar hem op zoek ben is hij nergens te bekennen. Dagenlang kan hij onvindbaar zijn, alsof hij van de aardbodem is weggevaagd, om dan ineens vanuit het niets weer ergens op te duiken.

Laatst heb ik urenlang voor de ingang van het hoge flatgebouw gezeten. Maar geen spoor hem. Ik deed mijn ogen dicht en probeerde me voor te stellen waar hij uithing en met wie maar de beelden waren troebel. Het gaf me het gevoel dat ik faalde en ik verweet mezelf dat ik niet genoeg van hem hield, dat de telepathie daarom niet werkte.

'Hoe doe je dat toch?' vraag ik hem vaak bewonderend.

'Telepathie,' zegt hij steevast. 'Mijn moeder had het ook. Des te erger de liefde, des te meer de telepathie.'

Sylvo maakt soms heel kromme zinnen en ik moet daar vreselijk om lachen. Maar nooit hardop, dat zint hem niet. Dan begint hij te knarsetanden.

Laatst heb ik het woord opgezocht in de Van Dale. *Telepathie: v gemeenschap, het overbrengen van gedachten en gevoelens van personen op afstand zonder zinnelijke waarneembare middelen.* Niets stond er over liefde. Eerlijk gezegd voelde ik me een beetje bedrogen. Toen ik hem ernaar vroeg leek hij van zijn stuk gebracht. Hij trok het woordenboek uit mijn handen en tuurde toen wel een minuut lang naar de opengeslagen pagina.

'Woordenboeken liegen,' was zijn uiteindelijke antwoord en met een harde klap sloeg hij het boek dicht.

'Maar Sylvo...' Ik kwam bijna niet uit mijn woorden omdat ik mijn best deed mijn lachen in te houden. 'Hoe...?'

'Dit!' zei hij en duwde het boek vlak onder mijn gezicht.

'Dit is geschreven door mensen,' zei hij toen gewichtig alsof hij zonet een belangwekkende ontdekking had gedaan.

'Ja...' Ik deed mijn best hem te volgen.

'En mensen liegen! En daarom liegen woordenboeken.'

Ongelovig keek ik hem aan. Meende hij dit werkelijk? Het was een tijdje stil.

'Maar wie of wat had het woordenboek dan geschreven moeten hebben?' vroeg ik hem toen voorzichtig.

'Zo ís het nu eenmaal!' riep hij getergd uit en met een driftige beweging smeet hij het boek stuk in een hoek van de kamer en verliet het huis.

Verbaasd liep ik achter hem aan naar de voordeur en zag hem met woedende passen wegbenen over de galerij.

Sylvo doet vaker vreemdsoortige uitspraken waar hij zelf in lijkt te geloven. Ook houdt hij er bizarre overtuigingen op na. Zo is hij ervan overtuigd dat de wereld op hem jaagt. Maar volgens mij is het eerder andersom en blijft de wereld liever bij hem uit de buurt. Als hij ergens komt binnenwaaien alsof hij hoogstpersoonlijk is geïnviteerd, zie ik de gezichten om ons heen verstrakken. Ze lijken eerder bang voor hem.

Hij beweert dat het jaloezie is, dat ze het op hem hebben voorzien, op zijn geld, zijn bezittingen, op mij, maar vooral op de briljante plannen en ideeën die hij beraamt. Dat dat altijd al zo is geweest.

'Wat voor plannen zijn dat dan?' vraag ik hem wel eens voorzichtig.

'Plannen voor gevorderden,' zegt hij dan alsof hij topsport bedrijft.

Meer zegt hij niet. En misschien is dat maar beter ook. Eerlijk gezegd weet ik niet of ik wel op de hoogte wil worden gebracht van zijn plannen. Ik ben bang dat het me medeplichtig zal maken aan iets wat ik niet wil. Om mezelf gerust te stellen bedenk ik dat hij aan een ingewikkelde uitvinding werkt en daardoor zo vreemd en gespannen overkomt.

Laatst deed hij het voorkomen alsof het penthouse omsingeld was. We hebben toen twee dagen binnen gezeten. Hij liet de luxaflex zakken en droeg me op zo min mogelijk geluid te maken en onder geen voorwaarde de deur te openen als er werd aangebeld. Ik vroeg me af hoe een penthouse zo hoog in de lucht omsingeld kon worden en door wie.

Toen ik het hem vroeg, was het even stil.

'Meestal Chinezen,' zei hij daarna op fluisterende toon terwijl hij door een kier van de luxaflex naar buiten loerde.

Die dagen heb ik urenlang spelend doorgebracht in de jacuzzi en lag ik naakt wat te niksen op het hoogpolige tapijt, me over hem verwonderend totdat hij zei: 'Het is veilig, we kunnen naar buiten.' Eerlijk gezegd was het een hele opluchting, ook al liet ik hem niets merken.

Ik probeer erachter te komen wat zich afspeelt in zijn hoofd maar zijn gedachten zijn hermetisch afgesloten voor die van mij, terwijl hij wel het vermogen lijkt te bezitten om in mijn hoofd te kijken.

Misschien is het maar beter ook. Ik begin te vermoeden dat Sylvo's binnenwereld niet veel weg heeft van een elfenbos maar meer van een angstaanjagend spookoord.

De omgang met Sylvo komt de toch al verstoorde relatie met mijn ouders niet ten goede. Ik kom en ga, precies zoals het me uitkomt. Soms ben ik dagenlang van huis om vervolgens op volgens mijn moeder onchristelijke tijden weer naar binnen te sluipen. Langzaam vervreemden we van elkaar. Heel af en toe zitten we voor de vorm nog samen aan tafel maar dan is het dodelijk stil en proberen we te voorkomen dat we elkaar per ongeluk in de ogen kijken.

Toen ik laatst op een zondagmorgen uit de stad kwam en

aangeschoten en uitgehongerd aanschoof voor het ontbijt terwijl mijn ouders de slaap uit hun ogen wreven drong de pijnlijke waarheid tot me door. De mensen aan de overkant van de tafel waren veranderd in volslagen onbekenden.

Na een aantal maanden is de situatie onhoudbaar geworden. Ze accepteren het niet meer. Ik moet het huis uit, definitief. Of op kamers of naar Sylvo.

De keuze is snel gemaakt. Omdat ik nog steeds niet weet wat ik met mijn leven moet vraag ik aan Sylvo of ik bij hem mag komen wonen.

❖

Gespannen sta ik voor het raam van de kleine zolderkamer en kijk om de tien seconden uit het raam naar beneden om te zien of hij er al is. Ik ben in gevecht met mezelf. Iets in me protesteert, wil niet mee, zegt dat dit niet goed is. Het is dezelfde stem die me tijdens dat eerste autoritje vertelde uit te stappen. Maar het is een stem van een vreemde, onbekend en onbemind.

Hij is twintig minuten te laat. Het is bijna halftwaalf als dan eindelijk zijn Mercedes voor komt rijden. De scharnieren van het tuinhek piepen.

Ik kijk naar beneden. Sylvo komt het tuinpad op lopen met in zijn ene hand een bos sleutels en in zijn andere hand een boeket rozen. Die zijn vast voor mijn moeder. Judasbloemen, schiet het door mijn hoofd.

Terwijl ik hem zo vanuit mijn zolderraam observeer realiseer ik me ineens hoe weinig ik eigenlijk over deze man weet. Dat ik hem in feite helemaal niet ken. Zo van een afstand zou de man met de wat kalende plek op zijn hoofd die beneden voor de huisdeur staat een volslagen onbekende kunnen zijn. De bel gaat.

Een licht paniekgevoel komt in me op en ik vraag me ineens af waar mijn ouders zijn. Mijn vader heb ik de hele ochtend al niet gehoord of gezien en ook mijn moeder lijkt sinds een paar uur van de aardbodem verdwenen. Niemand doet open. Het is verdacht stil in huis. De bel gaat weer. Nerveus kijk ik mijn kleine kamertje rond of ik niets ben vergeten. Mijn oog valt op een wasbeer die ik voor mijn verjaardag kreeg toen ik zeven werd. Ik pak hem beet, wil hem in mijn tas stoppen maar dan bedenk ik me. Ik fluister dat ik terugkom en zet hem weer terug op de plank. Dan zeul ik mijn volgepropte koffer de trappen af.

De volgende dag gaat het al mis. Ik werk die dag op het strand en heb Mandie uitgenodigd naar het strand te komen en die avond bij ons te blijven eten. Het is een stralende, onbewolkte dag en Sylvo heeft zich al vroeg in de morgen op het beddenterras geïnstalleerd. 'Dan kan ik je een beetje in de gaten houden,' had hij die ochtend in mijn oor gefluisterd toen we samen onder de douche vandaan kwamen, hij een grote badhanddoek om me heen sloeg en me over de badrand tilde. Wat hij daar precies mee bedoelde begreep ik niet helemaal maar ik vond het wel geruststellend klinken dat iemand me een beetje in de gaten wilde houden.

Uitgelaten ren ik op Mandie af als ze aan komt slenteren over de boulevard. Ze draagt een lichtblauwe legging met bloempatroon, grote goudkleurige oorringen en heeft een nieuw permanent dat nog uit moet zakken. We omhelzen elkaar. Om haar kennis te laten maken met mijn nieuwe levenspartner heb ik twee bedjes op het zonneterras aan elkaar geschoven. Trots stel ik ze aan elkaar voor. Ik serveer bacardicola, we babbelen wat, genieten van het zomerse weer en lachen om niets. Maar dan slaat de stemming om.

'Rosa!' Een knappe donkerharige jongen uit het groepje

Spaanse toeristen dat hier de laatste weken dagelijks komt, roept me.

'Wat?' vraag ik.

Hij zwaait met een flesje zonnebrandolie en kijkt me smekend aan.

'Kun je mijn rug even insmeren voordat ik levend verbrand?' vraagt hij me in het Spaans.

'Ga maar onder een parasol liggen, dan koel je een beetje af,' antwoord ik lachend in het Spaans.

Ook al heb ik mijn school nooit afgemaakt en is mijn algemene ontwikkeling blijven steken op het niveau van een twaalfjarige, ik heb gevoel voor taal. Door de invloed van mijn Portugese grootouders en de vele strandvakanties in het buitenland met mijn ouders, spreek ik vloeiend Spaans, Frans, Portugees en Italiaans. Duits leer ik van de zomergasten op het strand die zich hier zomers volstoppen met pannenkoeken met slagroom, braadworst en bier.

'Ich "kriege" ein Jenever und ein Bier!'

'Der "Krieg" is schon lang vorbei,' is het standaardantwoord dat ze van het personeel hier krijgen. Er is nog nooit een Duitser geweest die er zelfs maar om moest grinniken.

'Wat zei die gast?' De stem van Sylvo naast me klinkt afgemeten.

'Hij vroeg of ik zijn rug wilde insmeren.'

'En wat zei jij toen?'

'Wat ik toen zei? Ik zei dat hij onder een parasol moest gaan liggen, dan koelt hij een beetje af.'

'Dat zei je niet,' sist hij me toe.

Het is even stil.

'Dat zei ik niet? Dat zei ik wel. Vraag maar aan Mandie.'

Mandie ligt uitgestrekt naast me met gesloten ogen van de zon te genieten. Ze draagt enkel een minuscule zilverkleurige tanga en heeft zich van top tot teen ingesmeerd met worteltjescrème. Op haar neus heeft ze een vloeitje geplakt. Ik ken niemand die zo toegewijd en intens van de zon kan genieten als zij. Ze ligt doodstil alsof ze bang is dat als ze beweegt de zonnestralen van haar lichaam afglijden.

'Mandie, wat zei ik?'

'Ik verstond het niet,' mompelt ze.

'Volgens mij maakte je een afspraak,' snauwt Sylvo weer.

'Een afspraak?'

'Ja, volgens mij zei je: nu niet, straks als hij weg is.'

Ik vraag me af waar hij dit vandaan haalt en probeer een opkomende lachkriebel te onderdrukken. Ik kijk even opzij naar Mandie die ook zichtbaar moeite heeft haar gezicht in de plooi te houden. Ze draait zich om en gaat op haar buik liggen.

Het groepje Spaanse toeristen houdt ons nauwlettend in de gaten. Ze liggen te fluisteren en te lachen en maken opmerkingen over ons in het Spaans. Omdat Sylvo er geen woord van verstaat raakt hij nog meer opgefokt. Met een abrupte beweging staat hij op en hij kijkt strak naar de jongens die op een paar meter afstand van ons liggen. Hij heeft een dreigende blik in zijn ogen en ik zie hoe zijn halsspieren opzetten als ratelslangen.

'Problemen?' De Spaanse jongen is ook opgestaan en kijkt me vragend aan. Hij is lang en slank en draagt een rode zwembroek. Voor een moment zie ik hem door de ogen van Sylvo en dat maakt de situatie nog ongemakkelijker.

'Nee, nee, het is niets,' wuif ik het weg in de hoop dat de jongen snel weer gaat zitten. 'Hij denkt dat we wat met elkaar hebben,' mompel ik er ter verduidelijking nog achteraan.

'Hoer.' Het woord is zacht gesproken maar komt aan als een vuistslag.

De gezichtsuitdrukking van Sylvo is in een paar seconden veranderd in een duivelse grimas. Met driftige bewegingen graait hij zijn spullen bij elkaar en rent de trap op naar de boulevard. Vanaf een afstand schreeuwt hij nog een aantal verwensingen. Hij draagt alleen een zwembroek en tussen de geklede en passerende wandelaars, ziet hij er ongelukkig en een beetje absurd uit.

De Spaanse jongens zwaaien naar hem.

Met een gedramatiseerd gebaar rukt hij het portier van zijn cabrio open en met gierende banden scheurt hij ervandoor, nagekeken door het voltallige terras. Verbluft kijken Mandie en ik hem na en ik vraag me af wat ik fout deed. In stilte herhaal ik het woord om tot me door te laten dringen dat dit zojuist door mijn nieuwe levenspartner tegen me is gezegd.

Die avond komt hij niet meer opdagen. Zijn huis kunnen we niet in. Omdat het laat en koud geworden is en ik alleen een hotpants draag besluiten Mandie en ik hem te gaan zoeken.

Op goed geluk lopen we een duister buurtcafé in de buurt van de haven binnen. Hij zit achter in het café met wat louche figuren te kaarten. De mannen fluiten bewonderend en maken stompzinnige opmerkingen als ik op het tafeltje toe loop. Op het tafeltje liggen slordige stapeltjes bankbiljetten en staat een bijna lege fles whisky. Ik moet denken aan 'Ali Baba en de veertig rovers', een sprookje uit mijn kindertijd. Sylvo kijkt niet op of om en speelt gewoon door. De mannen werpen geile blikken op mijn blote benen. Niet wetend wat er nu van me verwacht wordt blijf ik een beetje onzeker bij het tafeltje staan.

Als ik hem voor de derde keer om de huissleutel vraag gooit hij die in de richting van mijn gezicht. Ik negeer dit liefdevolle gebaar, raap de sleutel op van de grond, haal mijn schouders op en loop met Mandie het café uit naar buiten.

Het schemert op straat en langzaam lopen we richting

mijn nieuwe thuis. Ik kijk even opzij naar Mandie. Ze is opvallend stil. Ook zij schijnt niet te weten hoe je met een dergelijke situatie om moet gaan.

We nemen de lift naar de achttiende. Als ik de sleutel in het slot van het penthouse steek, flitst de gedachte door mijn hoofd dat ik alsnog moet maken dat ik weg kom. Maar snel schud ik die gedachte weer van me af. Ik moet doorzetten, niet direct opgeven, afwachten wat er verder gebeurt. Ik heb mezelf tenslotte de opdracht gegeven hem gelukkig te maken en moet erachter zien te komen wat hem zo ongelukkig maakt.

Die nacht kruipen Mandie en ik dicht tegen elkaar aan in het hemelbed in de logeerkamer en vallen vrijwel direct in een diepe slaap. Ik droom van een oude man met een masker die een lege kinderwagen voortduwt.

's Ochtends word ik wakker door zijn aanwezigheid. Hij staat in de deuropening en kijkt me vuil aan. Hij mompelt iets en gooit de deur met een harde klap weer dicht. Mandie ontwaakt, gaapt, vraagt: 'Wat was dat?', en gaat op de rand van het bed wat versuft voor zich uit zitten kijken. Haar gepermanente haar lijkt die nacht tot explosie te zijn gekomen.

Nog half in slaap loop ik de kamer uit. In de gang bots ik tegen hem op. We kijken elkaar voor een moment aan voordat hij uithaalt. Zonder erbij stil te staan loop ik achter hem aan zijn slaapkamer in. Dat ik zojuist in mijn gezicht ben geslagen schijnt niet tot me door te willen dringen. Ik probeer met hem te praten, erachter te komen wat er nu eigenlijk echt aan de hand is. Maar hij wil niet praten en valt in slaap op het grote bed. Mandie vertrekt en ik ben alleen met hem. Ik ga voor de spiegel staan en kijk naar mijn wang die langzaam paars kleurt.

Ik besluit het voorval te vergeten en met een schone lei te beginnen. Maar gemakkelijk gaat het niet. Het is alsof hij me afsluit. In het begin heb ik het niet in de gaten maar na een tijdje word ik me bewust van een constant spanningsveld om hem heen. Er gaat een dreiging van hem uit, alsof er elk moment iets kan gebeuren, iets mis kan gaan. Ik begin te vermoeden dat hij me controleert. De telefoongesprekken met mijn vriendinnen worden korter. Ik ben niet meer open, durf niet meer echt te praten. Steeds vaker dringt zijn gezicht zich op in mijn hoofd. Alsof hij over mij waakt, constant bij me is, me ziet terwijl we niet samen zijn. Zou dit liefde zijn?

Nee, hij is niet gelukkig, deze man. Dat kan ik zien aan zijn nerveuze trekken, zijn onrustige bewegingen, die verdrietige mond die ik wil laten lachen. Maar hij lacht weinig, deze man. En als hij lacht, heeft het iets duisters. Het is alsof iets hem gevangenhoudt, een duivelse kracht die hem neer probeert te halen, vastbesloten mij mee te trekken. Maar ik ben op een missie, overtuigd in mijn opzet. Ik zal hem veranderen, hem de andere kant van het leven laten zien. Ja, dat is wat ik zal moeten doen, hem redden uit de duisternis.

Maar hij houdt me gevangen, eerst met zijn gedachten en later in zijn huis. Steeds vaker draagt hij me op binnen te blijven. Al snel verlies ik het contact met de buitenwereld, met mijn vriendinnen, mijn familie. Ook op het strand kom ik steeds minder opdagen. Mijn wereld wordt steeds kleiner.

Vaak kondigt hij totaal onverwachts aan dat we ergens naartoe gaan. Een café, een dancing, een straat. En dan stelt hij me voor, meestal aan mannen. Zo'n ontmoeting is vaak kort maar de mannen kijken op een speciale manier naar me, alsof ik word gekeurd, getest. Hij lijkt niet op zijn gemak als hij dit doet en wordt vaak na afloop ineens razend jaloers. En toch moet ik de volgende keer weer mee. Ik begin hem steeds minder te begrijpen.

❖

Het is op een doordeweekse dag dat hij me meeneemt naar een straat, een stille straat waar geen auto's rijden. In sommige van de ramen zitten vrouwen, andere ramen zijn gesloten door gordijnen. We staan stil bij nummer 66.

In het raam zit een mollige vrouw met een getinte huid. Ze is ouder dan ik en draagt roze satijnen ondergoed. Ze schrikt op uit haar kruiswoordpuzzel als ze ons voor het raam ziet staan en haast zich naar de voordeur om ons binnen te laten.

'Mijn prinsesje,' zegt Sylvo terwijl hij me net iets te enthousiast het peeskamertje in duwt. Ik struikel over een klein hoogpolig tapijtje dat begint te grommen en bij nader inzien een langharig pekineesje blijkt te zijn.

'Sonja, zeg maar Sonja,' zegt ze. Ze drinkt champagne, loopt op blote voeten en kijkt heel schijnheilig uit haar ogen. Ik vraag me af of dat 'zeg maar' een soort code is in de wereld van Sylvo. Alsof ze eigenlijk allemaal Truus en Jan heten en zich daarvoor schamen.

Sylvo zegt dat hij nog 'wat dingetjes te doen heeft in de buurt', belooft dat hij me straks weer op komt halen en vertrekt.

Sonja loopt als een hondje achter hem aan naar de voordeur en ik denk na over 'de dingetjes in de buurt'. In het halletjes hoor ik ze fluisteren. Ik ben op mijn hoede maar iets wil maar niet doordringen.

Mijn ogen dwalen door de kleine ruimte. In het hoogpolige tapijt is een klein rond bubbelbad ingebouwd waar plastic lotusbloemen uit groeien. Direct ernaast een bed (ook rond) dat eerder op een kitscherige bonbondoos lijkt. Op het mahoniehouten kastje naast het bed staat een enorme vibrator in de vorm van een olifantenslurf. Het stinkt er naar sigarettenrook, oud zweet en klamme was. Aan het plafond boven het bed hangt een spiegel.

Als Sonja weer terug in de kamer is, sluit ze de gordijnen, zegt: 'We gaan het gezellig maken', ontkurkt een nieuwe fles champagne en trekt een paar zilveren muiltjes aan. Ik vraag of ze soms jarig is. Ze lacht en zegt dat het hier elke dag feest is. Ik geloof haar niet. Ongevraagd duwt ze een glas champagne in mijn hand, gaat uitdagend voor me staan en vertelt over haar leven als hoer. Haar benen en buik puilen uit het glanzende stukje satijn en haar venusheuvel duwt er als een agressieve mol tegenaan alsof die weg wil rennen.

Ik neem wat slokken champagne en probeer me te concentreren op wat ze zegt. Maar haar woorden lijken op me af te ketsen. Een licht misselijk gevoel bevangt me, ik word draaierig in mijn hoofd en de ruimte om me heen begint te tollen. Dan zie ik mezelf staan. Via het spiegelglas boven het bed kijk ik naar het tafereeltje beneden. Ik met een glas champagne in mijn hand, beleefd lachend naar de halfnaakte vrouw die aanstellerig staat te wiebelen op haar kermisschoentjes. Mijn benen zijn trillerig en ik heb het gevoel te moeten overgeven.

'Gaat het?' vraagt ze voor de vorm.

'Je zou het niet moeten doen,' zeg ik. De woorden komen als vanzelf.

'Wat?'

'Je lichaam verkopen. Je zou het niet moeten doen.' Sonja kijkt me bevreemd aan.

'Het is mijn koopwaar,' zegt ze en lacht nogal ongemakkelijk terwijl ze met haar enigszins uitgezakte lichaam pronkt.

'Daarom,' zeg ik alsof ik word ingefluisterd, 'je lichaam is geen handelswaar. Het is jouw lichaam. Je zou het niet moeten doen.'

Ik zet het glas naast de plastic olifantenlul op het nachtkastje.

'Wat doe ik hier?' De vraag dreunt als een klap mijn gedachten binnen. Wat doe ik hier op een doordeweekse dag, champagne drinkend met een hoerenmadam terwijl mijn leeftijdsgenoten braaf in de schoolbanken zitten? Ik zou me met mijn eigen leven bezig moeten houden. Er op zijn minst over na moeten denken.

'Ik ga maar weer eens, succes met je carrière,' zeg ik als afscheid, pak mijn jas en haast me naar buiten. Weg uit het benauwde hok, de frisse buitenlucht in. Ik ga op de stoep aan de overkant van de straat zitten en wacht op Sylvo. Het gevoel dat ik in een speelfilm ben beland waarvan ik het script van tevoren niet heb ingelezen, kan ik niet van me afzetten.

Op de terugweg praten we niet veel. Hij vraagt me kort hoe het was en kauwt op zijn onderlip.

'Inspirerend,' antwoord ik al even kort. Ik voel me ineens hondsberoerd en ik verlang naar een warm bubbelbad met veel schuim en gele plastic eendjes. Ik sluit mijn ogen en luister naar de radio. Uit de speakers klinkt de voorspellende stem van Elton John:

It's sad, so sad
It's a sad, sad situation
And it's getting more and more absurd
It's sad, so sad
Why can't we talk it over
Oh it seems to me
That sorry seems to be the hardest word

Het liedje blijft nog dagenlang in mijn hoofd rondspoken.

❖

Er is iets mis, er is iets helemaal mis. Maar ik weet niet wat. Sylvo is onrustig. Die avond sleept hij me mee van het ene café naar het andere en hij blijft maar drinken. Snel en achteloos giet hij de glazen pure sterkedrank naar binnen.

Dan gaan we dansen. Of beter gezegd, hij wil dansen en wil dat iedereen ons ziet. Hij trekt me de dansvloer op en begint als een bronstige kikker om me heen te springen. Ik geneer me een beetje maar durf niets te zeggen, hij gaat volledig op in zijn paringsritueel. Hij pronkt met me alsof ik zijn bezit ben en voor het oog van de andere aanwezigen legt hij zijn massief gouden koningsschakel om mijn hals. Het voelt niet alsof ik nu zijn vrouw ben. Ik voel me net zijn hondje met een wurgband om. En dan ineens weet ik het, ik moet hier weg zien te komen.

Wegwezen voor iets te laat is. Maar het is al te laat.

'Wat ben jij van plan?' Zijn hand klauwt zich vast in mijn haren terwijl ik me ongezien uit de voeten probeer te maken.

'Ik ga naar huis,' zeg ik ferm terwijl ik me afvraag waar mijn huis is en de uitgang zoek.

'Dan gaan we samen!' brult hij ineens en hij sleurt me uit alle macht aan mijn haren mee naar buiten. Ik struikel op mijn te hoge pumps, verlies mijn tas en val. Ik sta weer op en probeer met hem te praten. De eerste vuistslag raakt mijn rechteroor. Ik wankel, ik val, ik sta weer op, hij slaat weer, nu links, ik sta op en blijf staan, probeer hem tot rede te brengen. Ik ren niet weg, alsof ik weet dat dit onvermijdelijk is.

Een groep vrouwen heeft zich rondom ons verzameld. 'Hou op! Hou alsjeblieft op!' Ze schreeuwen en jammeren, het is net een koor uit een Griekse tragedie.

De klappen dalen nu in een vuistregen tegen de zijkant van mijn hoofd. Maar niemand doet iets. Ze zijn bang. Zelfs de portier, die erbij staat als een toevallige voorbijganger en nerveus een sigaretje rookt. En ik doe niets. Ik sta daar maar, woordeloos, vleugellam, niet in staat terug te vechten. Pas als hij niet meer slaat loop ik weg. De straat uit, verdwaasd, op blote voeten, de witte pumps in mijn hand. In de verte klinkt zijn stem, als een gewond dier roept Sylvo mijn naam, alsof ik hem geslagen heb.

Ik vraag aan een man met een hond hoe laat het is. Het is tien voor halfzes in de morgen. Ik hou een taxi aan en laat me afzetten bij mijn ouderlijk huis. Het huis ligt er verlaten en donker bij. Op de oprit mist een auto. Ik herinner me vaag iets over een vakantie. Als ik de voordeur open wordt mijn vermoeden bevestigd, het huis is koud en leeg. Alleen de kat komt me klaaglijk miauwend tegemoet. Verder doodse stilte.

Ik sta voor de lange spiegel in de benedenhal en bekijk mijn spiegelbeeld. Een nerveus opgejaagd meisje staart me aan. Ik kijk naar de aubergine geverfde haren, de nauwe zwarte aansluitende satijnen broek, het goudkleurige topje en de te hoge hakken. Ik sta een personage uit een speelfilm te observeren en vraag me af in welk gedeelte van de film deze scène zich afspeelt.

Ik schop mijn schoenen uit en schreeuw het uit. Mijn rechterenkel is paars en opgezwollen. Hinkend op één been beweeg ik me naar de telefoon en bel de politie. Of ik aangifte wil doen?

'Graag,' zeg ik vastbesloten. Maar het liefst wil ik huilen, lang en ontroostbaar huilen in de armen van een vader die zijn handen van me heeft afgetrokken.

In het ziekenhuis prutst een hautaine arts denigrerend in mijn haar op zoek naar de builen.

'Wat is er gebeurd?' vraagt een koele zuster.

'Mishandeld door haar vriendje,' is het minachtende antwoord.

Weer thuisgekomen zoek ik troost in het grote bed van mijn ouders. Nog nooit voelde ik me zo slecht. Ik pak een pen en schrijf een brief, aan Sylvo, aan mezelf, aan de wereld. En terwijl de zon over de daken klimt en de tranen van woede en schaamte over mijn kaken lopen vind ik pas de woorden om te vertellen wat ik niet kon zeggen.

De volgende dag zwellen ze op als eieren, grote bulten onder mijn haar. Ik tel er zeven. Erop getimmerd alsof ik niets waard ben.

De weken erna weet ik me met mezelf geen raad. Ik ben geschrokken en totaal in de war. Ik woon weer thuis maar voel me eenzamer dan ooit. Niemand weet wat er gebeurd is die nacht, niemand kent mijn geheim.

Het lukt me maar niet de situatie in het juiste perspectief te plaatsen. Ik vraag me af wat er van me verwacht wordt, wat het leven van me verlangt. Ik wik en weeg, terugvechten of me schuilhouden. Nog steeds heb ik geen aangifte gedaan. Iets weerhoudt me. Ik ben bang voor de gevolgen.

Ten einde raad maak ik een vuist, een vuist die ophef. Niet om terug te vechten maar om me sterk te maken. Om de kracht te vinden door te gaan. Doorgaan met mijn leven, een leven dat nooit meer hetzelfde zal zijn.

Maar er komt hulp uit onverwachte hoek. Mijn moeder heeft mijn vader het huis uit gegooid en stort zich met hernieuwde energie als een havik op mijn leven. Mijn vader heeft tijdelijk een nieuw onderkomen gevonden in een caravan.

Ze biedt me een opleiding aan, ik hoef niet meer te werken. Aangezien ik geen enkele echte interesse heb vraag ik me af welke studie ze in gedachten heeft. Alles komt me nog steeds even zinloos voor, en na de vuistregen van Sylvo doe ik het liefst de hele dag niets. Maar daar heeft ze goed over nagedacht en een antwoord op gevonden.

'Jij wordt kunstschilder,' zegt ze een stelligheid die me angst aanjaagt.

'Maar mam, ik kan helemaal niet schilderen!'

'Jij weet helemaal niet wat jij allemaal kunt. En daar gaan we nu verandering in brengen,' zegt ze zo mogelijk nog stelliger.

Ze belt met de inlichtingen en vraagt al de telefoonnummers op van de Kunstacademies in Nederland.

'Je mag kiezen,' zegt ze terwijl ze met het papier met telefoonnummers voor mijn neus wappert.

'Waar wil je naartoe?' vraagt ze enthousiast alsof we zojuist een reis naar het buitenland hebben gewonnen.

'Doe maar Amsterdam,' zeg ik, ervan uitgaand dat het toch niets wordt.

Ze belt met de kunstacademie in Amsterdam, vraagt of ze de artistieke leiding kan spreken en steekt van wal.

Ik hoor haar zeggen dat ze een bijzonder getalenteerde dochter in huis heeft. Dat ik volledig dreig te ontsporen. Dat ik me op een cruciale leeftijd bevind. Dat als er nu niets gebeurt er een groot talent verloren zal gaan. Met stijgende verbazing luister ik naar haar betoog. Ik heb sinds mijn twaalfde geen potlood meer op papier gezet en alles wat ik ooit heb gemaakt heb ik direct weer verscheurd. Maar hoe ze het doet weet ik niet, ze weet de man of vrouw aan de andere kant van de lijn ervan te overtuigen dat ik gered moet worden. En gek genoeg staat dat idee me wel aan. Er wordt een gesprek geregeld. Een maand later moet ik langskomen om mijn werk te laten zien.

Omdat ik helemaal geen werk heb, maak ik drie portretten: een van mezelf, een van mijn vader en een van mijn opa. Ik werk er drie dagen en twee nachten aan. Gelukkig is de kans dat de leden van de commissie mijn vader en opa ooit in het echt hebben gezien nihil, want de portretten tonen verrassend weinig gelijkenissen met de originelen. Het verlangen om ook dit werk direct weer te vernietigen kan ik nog net op tijd onderdrukken en op een koude morgen in oktober stap ik op de trein naar Amsterdam.

Ik draag een nieuwe crèmekleurige jas met bontkraag en een roestbruine ribbroek. Mijn halskettingen, armbanden en glimdingen heb ik thuisgelaten, ze kwamen me vanmorgen ineens te opvallend, te potsierlijk over. Mijn gezicht voelt naakt en koud aan zo zonder make-up, alsof ik het vergeten ben aan te kleden. Enkel een fijn groen lijntje siert mijn oog.

Aan de buitenkant zie ik eruit als een normaal zestienjarig meisje, maar vanbinnen voel ik me onwaardig en klein. Als ik het grote pand betreed heb ik het gevoel dat iedereen aan me kan zien dat ik anders ben, dat ik hier eigenlijk niet thuishoor. Ik meld me bij de receptie en word door een vriendelijk meisje naar de tweede etage gestuurd. De deur van het kantoor staat op een kier, achter de tafel zitten twee wat verwarde mannen en een vrouw met een paarse bril.

Gespannen loop ik naar binnen. Ik mompel een onhoorbaar hallo en ga achter de tafel zitten. Mijn jas laat ik aan en ik durf nauwelijks adem te halen. Van mijn zelfvertrouwen is nog maar weinig over. Een groot hongerig insect heeft het laatste restje zelfrespect en levensvreugde uit me gezogen. Steeds vaker betrap ik mezelf erop dat ik voortdurend om me heen kijk op straat, bang dat hij me ergens staat op te wachten.

Ook moet ik mezelf dwingen om echt contact met iemand te maken en heb ik voortdurend nachtmerries.

'Koffie?' vraagt de vrouw.

'Graag,' zeg ik. Ze schenkt in. De suiker en melk laat ik staan, bang dat mijn handen gaan trillen.

'Goed, laat maar eens zien,' zegt de middelste man met

grijswitte krullen die op Jan Wolkers lijkt. Uit zijn stem denk ik op te kunnen maken dat hij er weinig vertrouwen in heeft. Beschaamd diep ik de tekeningen uit de map die ik voor de gelegenheid heb aangeschaft en leg ze met nerveuze handen voor hen op de witte lege tafel. De mannen en de vrouw achter de tafel bestuderen de drie tekeningen aandachtig.

'En de rest?' vraagt de tweede man nu. Hij heeft een spits gezicht met kleine lichtbruine kraaloogjes.

'Die is er niet. Zoekgeraakt bij een verhuizing,' verzin ik.

'Mmm,' zegt de man met de wilde haardos en mompelt er nog iets achteraan wat ik niet versta. Het is duidelijk dat hij er geen woord van gelooft.

'Ze is nog jong,' zegt de vrouw die ondanks haar 'artistieke' uitrusting en haar paarse bril, meer weg heeft van een arbeidsconsulente.

'Waarschijnlijk te jong,' zegt hij schamper en werpt me een korte scherpe blik toe van achter zijn leesbril. Ik durf de man amper aan te kijken en zit met gebogen hoofd naar hun benen onder de tafel te kijken. De vrouw draagt zwarte schoenen met blokhakken en een paarse panty met groene stippen.

'Ze heeft wel talent,' zegt de vrouw die ik steeds aardiger begin te vinden en nu een rolletje Mentos uit haar tas haalt die ze rond begint te delen.

Beleefd weiger ik, bang dat het snoepje door mijn onhandigheid weg zal schieten als ik het uit de verpakking probeer te peuteren.

Met een handige beweging van haar duim duwt ze zelf een Mentos omhoog uit het rolletje, pakt het snoepje met twee gespitste vingers van haar vrije hand uit de verpakking en legt het met een zorgvuldig gebaar op haar tong. Bewonderend volg ik haar trefzekere bewegingen. En bedenk dat ik het zelf nooit zou durven, zo veel ruimte nemen voor zo'n onbenullige handeling.

'En vertel eens, welke richting zou je op willen?' vraagt de spitsmuis, die nu het gesprek lijkt over te nemen, onverwachts.

Paniek bevangt me. Richting? Geen flauw idee, daar heb ik nooit over nagedacht. Er valt een stilte. Afwachtend staren de drie van achter de tafel me aan, zuigend op hun Mentos terwijl een lichtzoete pepermuntlucht zich door het lokaal verspreidt.

'Schilderen...?' zeg ik dan weifelend omdat ik helemaal niet weet welke andere richtingen er bestaan.

'Schilderen...' herhaalt de krullenkop, haalt zijn hand door zijn warrige grijze krullen en zucht even. Weer valt er een stilte.

'En later beeldhouwen,' voeg ik er dan ineens verrassend helder aan toe omdat het me ineens te binnen schiet dat ik als kleuter goed kabouters en schildpadden kon kleien. Ik probeer hun priemende ogen zo goed mogelijk te doorstaan en bid in stilte dat ze niet doorvragen over onderwerpen waar ik geen verstand van heb.

De krullenkop hangt wat onderuitgezakt op zijn stoel, draait een halfzwaar sjekkie terwijl hij me aandachtig blijft observeren. Het is alsof hij bij me naar binnen kijkt en ik vermoed dat hij kan zien hoe zwart mijn leven is. De vrouw glimlacht even naar me, vist een blocnote uit haar tas en noteert iets. Het liefst zou ik verdwijnen, ver weg van alles en iedereen.

Plots staat de spitsmuis op, loopt op zijn sokken door het vertrek en opent een raam. Zijn bruine instappers met kale neuzen zijn onder de tafel blijven staan. Ik hoor een meeuw krijsen. Ze klinkt angstig, opgewonden. In de verte dendert een tram voorbij.

De man met het warrige haar veegt de shagkruimels van tafel en houdt het sjekkie in het dansende vlammetje van zijn goudkleurige Dupont. Traag inhaleert hij de witte rook door zijn neusgaten. De vrouw trommelt ongeduldig met haar vingers op de tafel, kijkt over haar schouder even naar de muis en neuriet zachtjes.

Dan loopt de spitsmuis terug naar de tafel, werpt een vluchtige blik op de tekeningen en kijkt me dan doordringend aan.

'Goed, we proberen het,' zegt hij tot mijn verbazing. 'Je kan volgend seizoen beginnen.'

Ik heb het gevoel dat er een grap met me wordt uitgehaald.

'Echt waar?' vraag ik.

'Echt waar,' echoën de drie achter de tafel in koor.

'Goh, dank u wel,' is het enige wat ik kan uitbrengen.

De vrouw loopt helemaal met me mee naar de buitendeur.

'Je hebt talent,' fluistert ze me toe, 'dat is je geluk.' En ze knijpt even in mijn wang voordat ze me naar buiten laat en de tranen in mijn ogen springen.

Gesteund door het vertrouwen dat de wereld ineens in me lijkt te stellen, neem ik me voor deze kans niet te laten liggen. De volgende dag meld ik me aan bij een vrije werkplaats waar ik dagelijks kan schilderen en beeldhouwen. De aankomende maanden wil ik me zo goed mogelijk voorbereiden op mijn nieuwe leven.

Samen met mijn moeder koop ik kleren, meisjeskleren. Mijn oude kleding verbrand ik in een roestige regenton achter in de tuin. Alles gooi ik erin: foto's, brieven, haarspelden, de laag uitgesneden truitjes, de strakke tijgerleggings, de witte hoge pumps, mijn hele leven. Een giftige groenblauwe damp verspreidt zich door de achtertuinen en blijft urenlang hangen. Tot twee keer toe wordt er aangebeld door de buren, maar ik hou me verborgen. Ik heb tijd nodig afscheid te nemen van mijn oude ik.

Die nacht blijf ik in de tuin zitten en als in een film trekken de gebeurtenissen van het afgelopen jaar aan me voorbij. Pas tegen de ochtend heeft mijn verleden zich opgelost en is de giftige walm verdwenen. Enkel een verschroeide lippenstift is blijven liggen op de bodem van de ton. Op mijn tenen sluip ik het huis binnen en kruip diep onder de dekens. Mijn nieuwe leven kan beginnen.

Elke dag geeft mijn moeder me vier volkoren boterhammen met kaas en geld voor koffie mee en fiets ik naar de stad om me te oefenen in mijn nieuwe rol als kunstenaar.

De eenvoud doet me goed, het leven is ineens heel wat overzichtelijker geworden. Ik ontmoet mensen met een hart, mensen die luisteren, die me het gevoel geven dat ik iets waard ben. Een nieuwe wereld opent zich. Ik voel me herboren en soms wonderlijk gelukkig.

Maar daar waar het licht begint te gloren gaat de duivel tekeer. Sylvo laat zich niet zomaar wegjagen. Hij achtervolgt me nu overal. Elke dag staat hij me wel ergens op te wachten. En hij wil praten, me ervan afhouden een nieuw leven te beginnen. Ik ben bang maar ik zet door. En in mijn angst veins ik vriendschap. Ik luister naar hem, praat tegen hem als tegen een kind, probeer hem zo op andere gedachten te brengen. Maar het liefst zou ik tegen hem schreeuwen, het uitgillen, hem molesteren. Hem aangeven en voor de rechtbank slepen. Maar ik durf het niet, verlamd door angst, voor de gevolgen, voor wat er dan gebeurt.

❖

Het is laat, ik ben moe en ik wacht op de laatste bus naar huis. Het plensregent, mijn voeten doen pijn en de wereld om me heen is volkomen verlaten. In de verte hoor ik de bus naderen. Ik haast me naar de stoeprand, bang onopgemerkt te blijven in deze koude, stille nacht.

Ik begroet de buschauffeur, spring snel naar binnen en zoek een plekje bij het raam. Ronkend zet de bus zich weer in beweging.

Ik maak een klein venster in het beslagen raam en kijk naar buiten, de donkere paarse nacht in. De voorbij vluchtende huizen, het glinsterende natte wegdek, de uitgestorven straten. Het is alsof iedereen is doodgegaan deze nacht. Alsof ik alleen ben overgebleven.

Ik laat mijn fantasie de vrije loop en stel me voor dat ik de laatste mens op aarde ben met de buschauffeur als mijn privéchauffeur. Hij zal me overal naartoe brengen, deze nacht en alle dagen die volgen, me rondrijden door lege steden en dorpen en me naar mijn bestemming brengen. Mijn bestemming... zal ik daar ooit aankomen?

We rijden door de bocht, bij de volgende halte moet ik eruit. Ik druk op de stopknop en de bus mindert vaart.

In het bushokje staat iemand te wachten. Vreemd, denk ik als ik uitstap, het is de laatste bus en hij maakt geen aanstalten in te stappen.

Dan pas herken ik de druipende wachtende gestalte die uit de schaduw van het bushokje naar voren komt. Mijn hartslag versnelt.

'Jij hier?'

Hij is doorweekt en kijkt me smekend aan.

'Rosa, ik... we moeten praten.'

Ik verzamel moed.

'Nu niet, Sylvo, het is laat, ik ben moe en mijn ouders wachten op me.'

Ik gebruik het woord ouders met opzet, om hem het gevoel te geven dat ik een thuis heb, om mezelf tegen zijn invloed te beschermen. Er wacht helemaal niemand.

Vanuit het niets tovert hij een paraplu tevoorschijn en met een onverwachte beweging schiet het ding naar voren en klapt zich uit boven mijn hoofd. Ik ben bang maar laat niets merken. Hij heeft zich expres zo nat laten regenen, flitst het door me heen.

'Ik wil dat je veilig thuiskomt.'

Ga dan weg, denk ik, verdwijn uit mijn leven, dan ben ik veilig.

Maar ik zeg niets. Zwijgend lopen we naast elkaar door de regen, dicht tegen elkaar aan. Zijn lichaam lijkt zich aan me vast te zuigen. Ik wil hard wegrennen maar ik kan het niet. Nog steeds voel ik zijn macht. En ergens is het een troostende gedachte te weten dat er iemand is die zich laat natregenen voor mij, die me wil beschermen, en over me nadenkt op dit uur van de nacht. Op de hoek van de straat van mijn ouderlijk huis sta ik stil.

'Hier ga ik alleen verder.'

'Rosa, ik...' zijn onderlip begint te trillen.

'Het spijt me, het gaat echt niet, er is te veel gebeurd.'

Er wellen tranen in zijn ogen.

'Ik weet niet waarom ik het deed. Het zal niet meer gebeuren. Echt.' Verloren kijkt hij me aan. Krokodillentranen, denk ik. Maar waarom ziet hij er dan zo treurig en angstig uit?

Hij laat zijn hoofd naar voren vallen en ik hoor hem snikken. De man met de ijzeren vuisten huilt als een driejarige.

En dan doe ik iets wat ik nooit had moeten doen. Ik laat me overhalen om nog een keer met hem mee naar huis te gaan. Heel eventjes, denk ik, ik ben zo weer weg. Maar bij Sylvo thuis gaat het mis.

'Kom even bij me liggen,' zegt hij.

'Vijf minuten. Toe dan,' dringt hij aan.

Vijf minuten dan, denk ik, vijf minuten kan geen kwaad, en ik kruip dicht tegen hem aan. Om hem te troosten, om de duivels in zijn hoofd te verdrijven. Maar dan voel ik zijn opwinding.

'Ik ga,' zeg ik, 'ik moet vroeg op morgen, schilderen.' En ineens realiseer ik me hoe dun de draad is waarop ik al die tijd heb gelopen.

'Nog heel even,' zegt hij en ik voel hoe zijn greep zich verstevigt.

'Sorry, ik kan het niet, ik moet gaan.'

'Heel even nog, oké. Heel even nog.' Zijn stem klinkt resoluter nu.

'Ik kan het niet,' zeg ik terwijl ik me van hem losmaak en op de rand van het bed ga zitten.

'Wat kun jij niet?' Ruw grijpt zijn arm zich om mijn middel. Hij trekt me terug op bed en gaat op me liggen.

'Dit, ik kan het niet meer, er is te veel gebeurd.'

Hij hijgt, op zijn voorhoofd vormen zich kleine zure zweetdruppels. Het is alsof ik recht in het gezicht van de duivel kijk.

'O nee? Kun jij dat niet? Weet je wat je met me doet?' Paniek komt boven en ik voel me heel klein en onbeschermd.

'Rustig blijven, jij.'

'Oké, ik blijf rustig.'

Hij heeft mijn beide polsen beetgepakt en ik kan me nauwelijks bewegen door zijn gewicht.

'Wat kun jij niet?'

❖

Na het voorval in zijn huis leef ik intenser dan ooit. Ik dans, ik feest, ik drink, ik rook en leef alsof elke dag mijn laatste is. Met een tomeloze energie en een leeg hart. Ik koop bokshandschoenen en een nieuwe trainingsbroek en ga drie keer in de week kickboksen. In principe ben ik nu veilig. Sylvo lijkt uit mijn leven verdwenen. Hij houdt zich schuil, waarschijnlijk bang dat ik alsnog de politie inlicht. Maar toch ben ik niet gerust, er knaagt iets.

Overdag probeer ik wanhopig richting te geven aan een nieuwe toekomst en in de schaduw van de nacht werp ik me in de armen van iedere mannelijke vrijwilliger die vriendelijk naar me lacht en me voor een moment het gevoel wil geven dat ik iets waard ben.

Ik beleef de liefde als een vlinder, vrijblijvend, nieuwsgierig, kortstondig. Het geeft me een ultiem gevoel van vrijheid, een allesomvattend gevoel.

Ik zweef, los van de aarde, in een rijk waar lust en liefde regeren en pijn niet bestaat. Alles om te vergeten en de verloren tijd die ik met Sylvo heb doorgebracht in te halen.

Halsreikend kijk ik uit naar het moment waarop ik kan beginnen op de kunstacademie. En soms heel even vang ik een glimp op van een nieuwe toekomst. Licht en onbewolkt. Maar al snel betrekt de lucht opnieuw.

❖

Het lome zware gevoel is nu al dagen bij me. Elke morgen kost het me de grootste moeite op te staan. Steeds weer zink ik weg in de zachte witgestreken kussens van mijn moeder. Mijn god, wat ben ik moe, ik kan mijn ogen nauwelijks openhouden. Ik wil alleen nog maar slapen, slapen en nooit meer wakker worden. Wegzinken in het heerlijke niets. Alles vergeten, niet meer bang, niet meer achtervolgd, sterven, nooit meer wakker. Maar het zijn geen zelfmoordgevoelens die ik heb. Na een week kom ik tot de ontdekking. Ik ben zwanger.

Als de eerste tekenen zichtbaar worden en ik mijn zwangerschap niet langer kan verbergen, pak ik mijn koffer en mijn tekenmap en verhuis vroegtijdig naar Amsterdam. Uitgezwaaid door mijn moeder die me opgelucht ziet vertrekken. Ze maakt (bij wijze van grap) een dansje in de tuin, geeft me 1000 gulden voor de huur en zegt dat ik af en toe moet bellen. Ik beloof het.

Ik betrek een gemeubileerde kamer in West, meld me aan bij de sociale dienst en breng de komende maanden slapend en kotsend door. Drie dagen nadat je geboren bent verhuis ik naar een zolderkamer in Oost. Jij zult daar nooit wonen.

Martin

Zo openlijk lag ik daar. Op klaarlichte dag, naakt, gewikkeld in een felblauw dekentje. Gewoon voor het oprapen. Voor iedere moordenaar, psychopaat of kinderverkrachter. De nachtmerrie van iedere vrouw, had zij zelf geregisseerd. Mijn moeder.

Ik ben een vondeling. Zeventien jaar geleden ben ik gevonden onder een boom in een park in Amsterdam. Die babyluikjes bestonden toen nog niet.

Ik ben gevonden door een hond, een grote zwartbruine herdershond. Nog een geluk dat dat beest me niet direct heeft opgevreten want zo was mijn bestaan op deze aardkloot door niemand ooit geregistreerd en had ik in feite nooit bestaan. Enkel in de herinnering van een vrouw. De vrouw die mijn moeder had moeten zijn.

Mijn moeder. Ik teken haar vaak. In mijn gedachten weet ik precies hoe ze eruitziet. Lange honingblonde haren, een rijk gezicht en stralende vioolblauwe ogen. Een beetje verwend, goed verzorgd met gouden ringen. En een klaterende watervallach die je doet geloven dat het leven echt zo erg niet is.

Elk detail probeer ik me te herinneren, iedere moedervlek, elk lijntje in haar gezicht en op haar handpalmen. Ik teken haar zo gedetailleerd mogelijk zodat ik haar op een dag zal herkennen. Zomaar ergens op straat terwijl ze staat te wachten op een tram. Of argeloos winkelend in de Bijenkorf terwijl ze met haar hand door een bak afgeprijsde sjaaltjes dwaalt. Dan laat ik haar oppakken, in de boeien slaan, op klaarlichte dag, voor het oog van de hele wereld. Ik klaag haar aan, sleep haar voor de rechtbank en laat haar opsluiten. Vervolgens bezoek ik haar nooit.

De enige echte herinnering die ik aan haar heb is het blauwe dekentje waar ik in gewikkeld was toen ik werd gevonden. Het is mijn kostbaarste bezit en ik draag het mijn hele leven met me mee. Ik heb het dekentje nog nooit gewassen en het ruikt nog steeds naar haar. Een zoete zachte geur die zich in de loop van de jaren heeft vermengd met mijn eigen geur.

In het dekentje is met een zwarte draad een naam geborduurd, een meisjesnaam. Het is alsof ze me met die naam een hint heeft willen geven. Een soort code. Mandie staat er. Een goedkope naam. Mijn hele leven al vraag ik me af wat die naam betekent. Ik kan me niet voorstellen dat ze zelf zo heet, dat ze, voordat ze haar misdaad beging, nog snel even haar naam in het dekentje heeft genaaid. Zoals iedere andere crimineel zal ze geprobeerd hebben haar sporen uit te wissen.

Waarschijnlijk is het de naam van het meisje dat ze graag had willen hebben maar nooit kreeg. Was ik een teleurstelling en heeft ze me daarom weggelegd. Of is het de naam van een zus of grootmoeder?

Een ambtenaar van de burgerlijke stand heeft me de fantasieloze naam Martin gegeven. Martin Herder. Vanwege die hond dus.

Maar sinds kort heb ik de achternaam van mijn laatste pleegvader gekregen: Devilee. Martin Devilee. Dat klinkt beter. Maar het idee dat ik eigenlijk iemand anders ben laat me niet los. In feite ben ik ook iemand anders.

Wie mijn vader is lijkt me minder belangrijk. Geen bijzondere man denk ik. Ik heb het vermoeden dat hij 'zomaar iemand' is, iedereen had kunnen zijn. In ieder geval niet iemand om trots op te zijn. Ik stel me een soort baviaan voor die er na een snelle geslachtsdaad luid schreeuwend vandoor is gegaan, zichzelf wild op zijn borst trommelend. Dit leid ik af aan mijn eigen gewoonte. Want ook al is mijn vader mijn vader niet, erfelijkheid laat zich niet misleiden door vrije wil.

Naast mijn talent om gezichten te schilderen en te tekenen bezit ik namelijk de gave van het verleiden. Ik neuk al vanaf mijn veertiende.

Ik ben een mooiprater. Ik praat elk meisje in bed en uit de kleren. Vrouwen ook. Tot een bepaalde leeftijd, vierendertig, daar ga ik niet overheen. Om je de waarheid te vertellen, ik hou helemaal niet van vrouwen. Ik voel me vooral niet op mijn gemak in hun gezelschap. Eigenlijk voel ik me niet op mijn gemak bij mensen in het algemeen en bij vrouwen in het bijzonder. Er is echter een uitzondering, Anja Rozenblad, de vrouw van de overkant. Zo zou ik wel willen dat zij mijn moeder was. Twee weken geleden zijn ze tegenover ons komen wonen. Een keurig gezin. Ze hebben een huisartsenpraktijk en praten bekakt en ingewikkeld. Ze doet me aan mijn moeder denken maar waarschijnlijk is ze het niet. Soms wil ik het haar vragen. 'Heb jij ooit, toen je jong, mooi en egoïstisch was, een baby weggelegd?' Ik dwaal af.

Ik werd dus gevonden door een hond en de eigenaar van die hond heeft de politie gebeld. Ze hebben me meegenomen en in een opvang voor weggelegde kinderen gestopt. Intussen was ik wereldberoemd omdat ik steeds in het nieuws was. Want dat willen de mensen in het nieuws, weggelegde baby's. Miljoenen Nederlanders zaten aan de buis gekluisterd om het nieuws te volgen over het jongetje dat te vondeling was gelegd in het park en bijna in stukken was gescheurd door een herdershond. Goed, in kom dus in die opvang en er werd de hele dag gebeld omdat er allemaal vrouwen waren die mij zielig vonden en voor me wilden zorgen. Zielig was ik helemaal niet in die tijd, ik voelde me wel erg alleen.

Ze zeggen dat ik geluk heb gehad. Ik woon al zeven jaar in hetzelfde gezin. In een villawijk net buiten Amsterdam, bij Arie en Desiree. Het zijn relaxte types en ze laten me over het algemeen met rust.

Desiree is helderziend en legt de kaart voor mensen die in de problemen zitten. Dat zijn meestal vrouwen.

Ze doet dit bij ons aan de keukentafel. Ze steekt een kaars aan, prevelt een gebed, veegt de broodkruimels van tafel en begint. Alle vrouwen uit de wijk komen hier over de vloer. Ik heb al heel wat gesprekken afgeluisterd. Vaak hang ik rond in de buurt van de woonkeuken om erachter te komen wat deze vrouwen nu echt bezighoudt. Dat is teleurstellend weinig.

Sommigen van de vrouwen komen twee keer per week en stellen steeds dezelfde vraag, iedere keer anders geformuleerd. Hun echtgenoten weten van niets. Dat is maar goed ook want de meest gestelde vraag is of hun man er een minnares bij heeft. Dit is vaak het geval. Dan zwijgt Desiree of brengt het gesprek met een handige draai op de kinderen.

Door haar rake opmerkingen barsten de meeste vrouwen de eerste minuten al in tranen uit. Er wordt vreselijk veel gehuild in onze keuken, soms op het hysterische af, terwijl de meesten van deze vrouwen eruitzien alsof ze nog nooit een traan hebben gelaten. Daarbij maakt hun perfect aangebrachte make-up hun het huilen in andere situaties vrijwel onmogelijk. Als het huilen niet stopt neemt Desiree ze mee naar haar domein boven en geeft ze daar een helende behandeling met rozenolie. Het schijnt te werken. De meeste vrouwen die ik klagend en huilend de trap op heb zien klimmen, komen na een halfuur zingend en glimmend weer naar beneden.

Arie handelt in onroerend goed. Hij is slim en sociaal, trekt zich van niemand wat aan en verdient bakken met geld.

Ik draag de duurste merkkleding, heb de nieuwste computer en ben vrij om te doen wat ik wil. Maar vanbinnen voel ik me leeg. Ze zeggen dat het komt omdat ik ben weggelegd. Dat het traumatisch is. Sinds mijn vroegste herinnering loop ik al bij een psychiater.

Het is begonnen op de kleuterschool. Terwijl alle andere kinderen poppetjes, regenbogen en gezinnetjes tekenden, tekende ik alleen maar borsten. Ik kan me dit zelf niet meer herinneren en misschien waren die borsten wel bergen of golven water maar de lerares maakte zich ernstig zorgen en stuurde me naar een psychiater. En ja, ook de psychiater zag er borsten in.

Op mijn vijfde verjaardag schijn ik vanuit een donker trapgat op een pleegmoeder te zijn gesprongen en heb haar in haar tieten geknepen. Ook hier herinner ik me niets van en waarschijnlijk speelde ik gewoon verstoppertje met haar. Maar het resultaat was overplaatsing en een paar maanden observatie in een psychiatrisch ziekenhuis. De diagnose: sterke orale fixatie, seksueel overactief en een te sterke moederbinding. Ik vraag me af hoe je je aan iets kunt binden wat je niet kent.

In de rapporten staat dat ik op mijn zevende jaar heb geprobeerd een buurmeisje te verkrachten. Ik wist toen nog niet wat verkrachten was en ik wilde gewoon een spelletje met haar spelen. Ze heette Lila, was verkleed als elf en had heel zachte blonde haren. Ik nam haar mee achter ons huis naar het park en vertelde haar dat ik mijn geheime hut wilde laten zien. Toen we in de hut waren speelden we het spelletje 'vloek verdrijven'. Om de vloek die op ons rustte uit te bannen, vertelde ik haar, moesten we onze onderbroeken uittrekken en begraven in de grond.

We groeven een gat in de zwarte aarde, gingen plechtig tegenover elkaar staan en trokken onze onderbroeken uit. Zij had er een met blauwe vlinders, ik had een rode met een gulp.

'En nu?' vroeg ze terwijl ze met haar onderbroek zwaaide alsof ze een goocheltruc ging doen.

'Hierin,' zei ik streng en gooide als eerste mijn onderbroek in het gat terwijl ik een zelfbedachte toverspreuk uitsprak.

Met een bedenkelijk gezicht gooide ze haar blauwe vlinderbroek erachteraan.

'Het is toch wel echt waar, hè?'

'Tuurlijk is het waar.'

'En verder?' vroeg ze terwijl ze nieuwsgierig naar mijn piemeltje keek.

'Nu mag ik op je liggen,' zei ik.

'Heel eventjes dan,' zei ze. 'Niet te lang, hoor.'

En toen ben ik op haar gaan liggen. Maar omdat ze zo zacht was en haar haren zo lekker roken naar appeltjesshampoo wilde ik niet meer van haar af. Toen begon ze heel hard te huilen, is zonder onderbroek naar haar moeder gerend en heeft alles verteld.

Zo ben ik van het ene tehuis naar het andere gestuurd en wat ik me hiervan herinner is een klein kamertje met heel weinig licht. Het enige wat me kon redden was een kinderloos gezin, omdat ik inmiddels als een bedreiging werd gezien voor 'normale' gezinnen. En dat waren Arie en Desiree.

Binnenkort moet ik het huis uit. Ik moet iets gaan studeren en op mezelf gaan wonen. Ze zeggen dat ik begaafd ben, dat ik een bovengemiddeld IQ heb, dat ik alles kan bereiken wat ik wil. En dat dat nu juist mijn probleem is. Ik heb geen enkele interesse. Alles komt me even zinloos voor. Het liefst zou ik hele dagen rondrijden in een taxi en vrouwen ophalen en wegbrengen. Naakte vrouwen. Om ze na afloop te schilderen.

Ik heb stapels met tekeningen van naakte vrouwen. Als ik een vrouw ontmoet kijk ik dwars door haar kleren heen en 's avonds teken ik haar zoals ik me haar voorstel. Ik heb bijna alle vrouwen uit de laan getekend. Als dank voor de creatieve ontering geef ik ze een kopie. Ze reageren gechoqueerd maar vinden het stiekem allemaal even spannend. Ze fluisteren onder elkaar dat ik geobsedeerd ben maar zien dat ik talent heb. Dus heb ik me aangemeld voor de kunstacademie. Al droom ik van een simpel bestaan als taxichauffeur.

❖

Ze heet Anja, heeft een vermoeid gezicht en draagt dure schoenen. Gisterenavond stonden ze ineens voor de deur. Ze wilden even kennismaken. Ik lag te zappen op de bank toen Desiree de deur opende en er ineens een compleet gezin de living binnenwandelde.

'Martin, dit zijn onze nieuwe overburen, ze willen even kennismaken, ga eens rechtop zitten.'

'Anja Rozenblad,' zegt ze met zachte stem terwijl ze me onhandig een hand probeert te geven. Op haar heup hangt een klein meisje dat Sophietje heet. Ik ben op slag verliefd.

Hij heet Arjo en heeft de kop van een dode makreel. Hij schudt me de hand en als ik in zijn koude glanzende ogen kijk weet ik dat ik met een natuurlijke vijand te maken heb. Dat geldt ook voor zijn jongere evenbeeld. Een klein verwend rotjoch dat (hoe toevallig) ook Martin heet, kijkt tussen Anja's prachtige dijen door en steekt zijn tong naar me uit. Ik mompel wat beleefde woorden en verdiep me weer in mijn scorebord: het beoordelen van meisjes in de videoclips op MTV.

Het 'even kennismaken' werd twee uur huisartsenbezoek. Wist niet dat die mensen überhaupt ooit tijd hadden. Arjo en mijn vader zijn verwikkeld geraakt in een gesprek over obligaties en Jaguars en maken samen een fles cognac soldaat. Mijn vader heeft het vermogen totaal onbekende mannen het gevoel te geven alsof ze samen in dienst hebben gezeten. Desiree doet een aantal vergeefse pogingen een gesprek met Anja gaande te houden over de helende werking van rozenolie en Anja heeft zichtbaar moeite de kleine Martin in bedwang te houden. Sophietje is op de grond in slaap gevallen.

Meneer Vis schijnt dit alles niet op te merken, hij zit met zijn rug naar Anja toe, begint steeds harder te praten en laat het ene glas na het andere naar binnen glijden. Ik heb zin om te blowen.

Af en toe loer ik even naar Anja. Er is iets aan die vrouw wat ik niet kan benoemen. Nee, echt mooi vind ik haar niet, zeker niet in gezelschap van dat kindercircus en die gladjakker van een echtgenoot. Maar ze heeft iets sensueels. Iets, hoe zal ik het zeggen, nogal moeilijk toe te geven als die vrouw mijn moeder had kunnen zijn, windt me vreselijk op.

Ik sta op en excuseer me, misschien niet direct omdat ik opsta maar meer om wat er daarna gebeurt. Ik voel de ogen van Desiree in mijn rug. Ik ga naar mijn kamer en draai mijn deur op slot. Op de achtergrond hoor ik hun stemmen maar ik ben al weg, alsof ik word opgetild. Het is die vrouw die in die kamer zit, ze heeft me betoverd. Ik leun tegen de deur, ik ben nog nooit zo heet geweest. Staand tegen de deurpost trek ik me af, ik spuit tegen het behang, het kan me niets schelen. Ik ga op mijn bed liggen en val in een korte droomloze slaap. Die avond kom ik mijn kamer niet meer uit.

Als ik de volgende dag de voordeur opendoe zie ik haar. Ze heeft net de achterbak van haar auto geopend om de boodschappen uit te laden. Ik probeer niet te denken aan mijn wangedrag van de avond daarvoor en steek de straat over.

'Ik help wel even,' zeg ik zelfverzekerd.

'Dank je, attent van je,' zegt ze wanneer ik de zakken Pampers en lightproducten uit de auto til.

'Ik heb last van mijn rug de laatste tijd. De derde,' zegt ze terwijl ze afwezig over de lichte bolling van haar buik strijkt.

Sinds ze hier in huis is geweest kan ik aan niets anders meer denken.

Het is begonnen met een onschuldig tekeningetje. Een portret, meer niet.

Nu begluur ik haar dagelijks, vanuit de salon in de woonkamer, vanuit mijn slaapkamer die gelukkig aan de voorkant ligt. Ik hou in de gaten wanneer ze weggaat, hoe vaak ze weggaat, hoe laat ze weer thuiskomt. Wanneer ze alleen is, wanneer de lichten branden en waar. Ik kan uren vullen met op bed liggen en bedenken wat ze doet, hoe ze zich voelt. Ik forceer ontmoetingen en zet vrijwillig twee keer per week de vuilniszakken buiten net op het moment dat aan de overkant ook de voordeur opengaat.

En op al die momenten van haar afwezigheid teken ik haar. Steeds andere gezichtsuitdrukkingen, andere posities. Maar het is anders dan met die anderen. Niet één keer teken ik haar naakt. Ik kan het niet. Anja is de enige vrouw die ik respecteer. Anja is een heilige, een *Saint.* Anja is zuiver. Haar enige zonde is haar man. Die harkerige precieze gladjakker. Ik mag hem niet. En niet alleen omdat hij de levensgezel van mijn obsessie is maar omdat hij me te succesvol, te vriendelijk-beleefd voorkomt. Dat kan nooit goed zijn. Dus teken ik Anja staand, met een aureool van licht om haar heen en een dode vissenkop in haar hand.

Het lot is me gunstig gezind. Desiree en Anja zijn vriendinnen geworden. Bijna dagelijks komt ze wel even koffiedrinken. Vaak hang ik wat rond in de woonkeuken of hou me schuil achter de keukendeur. Steeds weer bedenk ik nieuwe excuses om onverwachts binnen te kunnen vallen. Excuses, slecht bedachte zoals: 'Waar ligt de afstandbediening? Hoe laat is het? Heb je mijn iPod gezien? Is er nog Red Bull in de ijskast?' Alles om bij haar te kunnen zijn. Alles, om een glimp op te vangen van haar voeten, haar jukbeenderen, het lieve vermoeide gezicht. Om alles van haar in me op te nemen, wat ze aanheeft die dag, of ze slecht of goed geslapen heeft en of ze wel gelukkig is.

Uren breng ik door achter die deur. Ik luister naar de zacht gesproken woorden, de halve zinnen onafgemaakt, onderbroken door een geluid. Zinnen waar ik vaak nog dagen over nadenk. Haar zacht zingende stem, haar goddelijke lach, dat hemelse geluid, het geschuifel van de poten van haar stoel op de tegelvloer. Soms fluistert ze indringend alsof ze aan het biechten is.

Laatst is het me gelukt een heel gesprek af te luisteren. Ik haastte me die morgen uit bed nadat er hard en lang werd aangebeld. Ik wist het zeker, het was Anja die voor de deur stond.

Later het zachte snikken door de dichte deur. Dan haar stem, zacht gelaten: 'Hij heeft me geslagen.'

De hoge verbaasde stem van mijn moeder: 'Nu net?'

Een diepe zucht, nog nasnikkend: 'Vanmorgen bij het ontbijt. Zijn ei was te hard gekookt.'

Desiree, onhandig, waarschijnlijk zoekend naar woorden: 'Goh...'

Een stilte.

'Is dat al eerder gebeurd?' Desiree weer, nu als therapeut.

Diepe zucht van Anja: 'Nee, het was de eerste keer.'

Stilte, gerommel. Keukenkastje die dichtklappen. Geklik van een aansteker. Geronk van het espressoapparaat.

Anja weer, een halve zin, ik mis een tekst door het lawaai. En dan: '...deed me niets. Helemaal niets. Alsof ik al die tijd heb geweten dat hij het op een dag zou doen.'

Geroer in een koffiekopje. Getik op het randje. Een irritante gewoonte van Desiree. 'Sloeg hij hard?' Nogal ontactisch.

Anja, alsof het onderwerp haar verveelt: 'Nee, een tik, meer niet, onmachtig en laf, alsof je een kind corrigeert.'

Dan heftig, gefrustreerd: 'Hij zag er zo ongelooflijk zielig en pathetisch uit in die te grote onderbroek van hem en dat oude lichaam. Alsof hij ziek was.'

Desiree voorspellend, bijna profetisch: Tja, dat krijg je op den duur.

En dan haar bevrijdende woorden, gefluisterd als een bekentenis.

'Ik haatte hem op dat moment, niet omdat hij me sloeg maar omdat hij geen woorden kon vinden om te zeggen dat hij niet meer van me hield. Omdat hij het lef niet heeft van me weg te gaan.'

Op dat moment kon ik me niet meer beheersen, ik wilde haar gezicht zien, me ervan verzekeren dat alles goed met haar was, naar haar lachen, haar troosten met mijn ogen, haar vertellen hoeveel ik van haar hield en dat als ze me toeliet in haar leven ik nooit meer weg zou gaan.

Dus onverwacht duwde ik de keukendeur open en vroeg: Op hoeveel graden worden sokken over het algemeen gewassen? Anja schrok maar Desiree had me direct door.

'180 graden,' zei ze kort.

'Oké,' antwoordde ik en vluchtig wierp ik een blik op Anja.

Ze zag er helemaal niet uit alsof ze net was geslagen, ze zag eruit als een blozende puber maar dan honderd keer mooier.

'Dag,' zei ik toen.

'Dag,' zei ze.

'Hoe is het nu met Sophietje?'

'Goed,' zei ze een beetje verbaasd. 'En met jou?'

'Ook goed,' zei ik. 'Vakantie, een beetje chillen.'

Ongemakkelijke stilte, de ogen van Desiree die me proberen weg te kijken.

'Ik wil wel eens oppassen als je er eens uit wilt.'

Desiree ogen worden groot, ongelovig. Anja, flirterig in

mijn beleving: 'Jij als kindermeisje? Apart. Ik zal het eens met mijn man bespreken.'

Mijn moeder, kort, geïrriteerd: 'Martin, we waren even in gesprek. Vind je het heel erg...'

'Nee hoor, ik vroeg me alleen af op hoeveel graden je sokken wast. 180 graden zei je toch?'

Desiree knikt: 'Inderdaad 180 graden.'

Anja kijkt niet-begrijpend en lacht wat verward.

❖

We zijn alleen in de keuken. Het is elf uur 's ochtends en mijn pik is hard. Anja zit achter mij te roken. Ze draagt een rok en roze veterschoenen. Ik sta aan het aanrecht en bak een roerei. Mijn moeder is boven de tarotkaarten halen. Ze gaat de kaart leggen voor Anja want Anja heeft problemen. Ik vermoed dat het haar man is die haar leven tot een hel maakt.

'En?' Haar stem vliegt vertraagd door de ruimte. 'Hoe is het met de kunstenaar?'

'Goed,' mompel ik en wip behendig een ei op de toast.

'Wil je ook?' vraag ik terwijl ik me half naar haar omdraai en haar blik probeer af te leiden door een bordje toast voor haar neus te zetten.

'Lekker,' zegt ze.

Jij bent lekker, denk ik.

Ze wiebelt ongedurig met haar been.

'Ik zou moeten stoppen,' zegt ze en neemt nog een laatste diepe haal van haar sigaret. Snel ga ik tegenover haar aan tafel zitten.

'Desiree vertelde dat je bent toegelaten voor de kunstacademie.'

Ze neemt een hap van haar toast, nogal gulzig. Een kruimel toast blijft aan haar bovenlip hangen. Gefascineerd kijk ik ernaar en heb zin om die weg te likken.

'Mag ik...' – ze stopt even en likt de kruimel van haar lip – 'je werk eens zien?'

Ik staar haar aan en weet even niet wat ik moet zeggen.

'Ik heb gehoord dat je vrouwen schildert en behoorlijk goed.'

Ik denk aan de veertien schilderijen die ik van Anja heb gemaakt en het zweet breekt me aan alle kanten uit.

'Je kunt zo wel even meelopen als je wilt... als het je interesseert,' zeg ik zo nonchalant mogelijk. 'Even een paar kleine dingen opruimen.'

Ik haast me naar de omgebouwde garage achter het huis en ontgrendel de deur. De ruimte hangt vol met schetsen en schilderijen van Anja. Het werkatelier van een gek. Maar in de liefde bestaan geen gekken, alleen dwazen. Snel gris ik alle doeken bij elkaar, wind er een groot laken omheen en verstop ze onder mijn werktafel. Eén schilderij laat ik staan, in het midden van de ruimte. Het is het schilderij met de dode vis.

'Mag ik binnenkomen?'

Ze staat in de deuropening en het valt me op dat ze geen bh draagt. Ik hou de deur voor haar open.

'Hier verschuil je je dus.'

Dan valt haar oog op haar eigen afbeelding.

'Maar dat ben ik,' stamelt ze.

'Dat ben jij,' zeg ik en wacht af.

Ze zegt niets en blijft maar naar het schilderij staren.

Dan kijkt ze me vragend aan. Ik voel me heel klein worden.

'Je zat in mijn hoofd. Ik kreeg je er niet uit.'

Anja kijkt me verbaasd aan, haar mond staat halfopen en ik voel een onbedwingbare behoefte haar te zoenen.

'Ik hoop niet dat je het erg vindt.'

'Erg?' Ze kijkt me niet-begrijpend aan.

'Maar Martin, dit is prachtig. Ik zal Arjo vragen het van je kopen.'

'Dat kan niet,' zeg ik. 'Het is niet te koop,' verbeter ik mezelf. 'Je krijgt het van me. Omdat je het mooi vindt.'

Anja bloost.

'Goh,' zegt ze. Weer staart ze naar het schilderij.

'Vreemd, op het schilderij lijk ik gelukkig, niet oud.'

'Ben je dat dan,' vraag ik haar, 'oud en ongelukkig?'

Anja lacht.

'Niet ongelukkig misschien maar ook niet gelukkig. Iets daartussenin. Het gevoel dat er iets ontbreekt, iets mist, een gat.'

Ze bestudeert haar schoenen. 'Een gemiste kans misschien,' mompelt ze, 'de dode vis.'

Ik laat het maar zo. Het lijkt me niet verstandig haar te melden dat de dode makreel haar echtgenoot voorstelt.

'Desiree vertelde me dat je niet haar echte zoon bent, dat ze je pleegmoeder is.' Ze kijkt me aan, ik heb het gevoel dat ik wegsmelt.

'Dat klopt,' zeg ik en zoek in mijn broekzakken naar mijn sigaretten. Ik heb nog steeds een stijve.

'Jij?' vraag ik en houd haar het verfrommelde pakje voor.

'Eentje dan.' Onze vingers raken elkaar even als ze een sigaret uit het pakje probeert te krijgen. Een vonk springt over. Ze lacht.

'Vreemd, normaal heb ik dat alleen met de ijskast.'

Anja kijkt weer nadenkend en blaast de rook in mijn gezicht.

'Dus dat was het. De manier waarop je naar me kijkt soms.'

Ik laat het maar zo.

'Ja, dat was het.'

'Ah, hier zitten jullie?' Desiree staat in de deuropening. Ze heeft een nieuw kapsel en valt Anja om de hals. Dan ziet ze het schilderij.

'Vind je het niet prachtig?' zingt Anja.

'Ja, hij is goed,' zegt mijn moeder en kijkt me dan bedenkelijk aan.

'Maar waarom die dode vis?'

❖

'Stap in,' zegt ze vriendelijk. Ze hangt half door het open raampje van haar Baby-Benz, de motor ronkt en ze heeft haar hand op het portier om hem te openen. Ik kijk even zenuwachtig achterom. Mijn moeder heeft soms de ergerlijke gewoonte mij na te kijken achter het raam. Ze staat er niet.

'Kom, schiet op, we gaan waarschijnlijk dezelfde kant op.'

De welving van haar borsten is zichtbaar doordat ze naar voren leunt en haar zachte volle lippen glanzen van de warmpaarse lipgloss. Er schittert iets in haar nek en haren.

Ik stap in. Het is warm in de auto. De auto ruikt naar kinderen, naar Liga, naar sigaretten en naar haar.

'Waarheen?' vraagt ze. Een vleug van haar parfum dringt mijn neusgaten binnen.

'Naar de stad,' mompel ik, 'zet me maar ergens af.'

We rijden weg. Ik heb het benauwd.

'Kan er geen raampje open?' piep ik.

'Tuurlijk, ik doe het wel even.'

Ze buigt voor me langs, haar lichaamsgeur maakt zich los van haar lichaam en wikkelt zich als een molton doek om mij heen. Ik stik bijna. Ze tuurt de weg weer af. In haar nek zie ik rode vlekken verschijnen.

Met een schuin oog kijk ik naar beneden en zie de spieren van haar bovenbenen bewegen onder de halfdoorzichtige stof van haar zomerjurk, als ze gas geeft. Ik moet me inhouden, een vreemd gevoel bekruipt me alsof er iets van me verwacht wordt. Ze voelt het, ze moet het voelen. Gelijktijdig kijken we elkaar aan. We zwijgen. Die vrouw maakt me gek. En ik weet niet waarom.

En dan ineens doe ik het, ik ben gek van verlangen.

'Zet die kloteauto van je aan de kant. Ik moet je iets zeggen.'

Tot mijn stomme verbazing doet ze het. Met een schok belanden we in de berm. Ze kijkt me vragend aan, ik kijk weg en zoek naar tekst die uitblijft.

De motor slaat af en het is even vreselijk stil. Ik hoor haar ademen. En dan doe ik het, als een gewond dier kruip ik dicht tegen haar aan. Mijn ene hand verdwijnt tussen haar benen en mijn andere hand heeft zich als in een reflex om haar borst gesloten. Ik kan niet meer loslaten. Ik zit vast. Zo blijf ik minuten lang op haar liggen. Mijn ene hand in de warme holte tussen haar zachte benen, mijn andere vastgeketend aan haar borst, mijn gezicht in haar nek. Mijn ogen zijn gesloten en alles om mij heen verdwijnt. Ik vergeet wie ik ben, waar ik ben, wat ik aan het doen ben. Het is alsof mijn identiteit oplost, mijn herinnering verdwijnt. Ik weet niets meer. Ik bevind me in een soort hemelse realiteit die me vaag bekend voorkomt. Haar stem komt van ver.

'Doe het maar,' zegt ze en met haar vrije hand haalt ze een melkwitte borst uit haar blouse en als een moederdier duwt ze haar kleine harde tepel omhoog tegen mijn wang. En ik kan alleen maar doen wat ik moet doen, mijn mond omsluit de tepel, ik drink, ik drink als een baby de moedermelk. Met twee handen omknel ik nu haar borst om nooit meer los te laten. Het smaakt bitterzoet. Verward kijk ik haar aan, ik zie de opwinding in haar ogen. Ineens ben ik weer man. Opnieuw glijd mijn hand tussen haar benen, in een ruk trek ik haar slipje omlaag. Ik voel haar koude zachte billen en schuif haar rok omhoog. Verwonderd over mijn eigen handigheid draai ik haar heupen naar me toe en voor ik het weet zit ik klem tussen het dashboardkastje en de stoel en verdwijnt mijn hoofd tussen haar benen. Ik heb het gloeiend heet en huiverend als een begerige bij steek ik mijn angel in de lotus. Zacht en warm, zoet en zout. Mijn handen grijpen omhoog en opnieuw klamp ik me wanhopig vast aan haar kleine borsten. Ze kermt zachtjes als een puppy en haar handen grijpen door mijn haar.

'Daar, ja, daar,' fluistert ze bijna wanhopig. Wat onwennig glijdt mijn tong voorzichtig over het kleine harde bobbeltje dat ik tot nu toe alleen uit pornoblaadjes kende. Ze kreunt. Afwisselend zacht en hard lik ik haar. Ook dit heb ik ergens gelezen. Als ik omhoogkijk zie ik dat ze haar ogen gesloten heeft. Ze kreunt en ademt diep en ik heb het gevoel alle contact met haar te zijn verloren. Om haar niet opnieuw te verliezen duw ik mijn tong hard tegen haar aan. Haar lichaam spant zich. Nog een keer duw ik harder. Ze trekt nu zachtjes aan mijn haar en ik kijk omhoog. Ze heeft haar ogen open en kijkt recht door me heen. Haar ogen lijken doorschijnend, transparant, alsof ik door haar heen naar binnen kijk. En dan voltrekt het wonder zich, haar lichaam begint te schokken, haar ogen draaien weg, haar gezicht vertrekt, haar lichaam spant zich tot het uiterste en dan ineens niets meer, geen beweging. Een moment verdenk ik mezelf ervan dat ik haar heb vermoord. Maar dan op haar gezicht een vage glimlach, gelukzalig. Een heerlijk gevoel doorstroomt me, een gevoel van dankbaarheid.

'Martin, lieve Martin.'

Een tik op het raampje. Ik schrik me het leplazarus en knal met mijn kop tegen de voorruit. Een blauwe pet en het gegroefde gezicht van een agent op leeftijd verschijnen voor het raampje. Met zijn hand maakt hij een draaiende beweging.

In een reflex van gehoorzaamheid zoem ik het raampje open.

'Is dit vrijwillig?' bast de stem.

De betekenis van de vraag wil maar niet goed tot mij doordringen. Ik kijk naar Anja maar zij ligt nog steeds te dromen, met open ogen nu. En met een volmaakt gelukzalige glimlach om haar mond fluistert ze: 'Volledig, Herr Polizei.'

Als ze de sleutel in het contact steekt om de auto te starten, voel ik dat er iets mis is met Anja. Ze zit voorovergebogen en leunt met haar voorhoofd tegen het stuur dat ze met beide handen zenuwachtig omknelt.

'Gaat het wel?' vraag ik.

'Ik kan niet meer,' zegt ze zonder haar hoofd op te tillen.

'Wat kan je niet meer?' vraag ik zacht en verbaas me over mijn eigen tederheid.

'Mijn man,' zegt ze, 'ik kan niet meer, het is te veel, hij is te veel.' Als ze me aankijkt zie ik dat er tranen in haar ogen staan.

'Alles heb ik hem gegeven, alles heb ik opgegeven. Ik ben op,' zegt ze en barst in een ongecontroleerd snikken uit. Grote zilverkleurige druppels rollen zonder terughouden over haar gezicht. Nog nooit heb ik iemand zo intens zien huilen. Haar schouders schokken en onhandig glijdt mijn hand over haar rug om haar te troosten.

'Stil maar, zeg ik, stil nu maar.' En weer verbaas ik me over deze onvermoede kant in mij. 'Ik zal voor je zorgen,' zeg ik. 'Ik zal je beschermen.' Alles wil ik doen om haar gelukkig te maken. Anja glimlacht even en veegt met een hand over haar gezicht.

Dan pakt ze haar mobiel en toetst vastberaden een nummer in. Ze belt met Esther, de oppas.

'Ja, Anja hier. Kun jij met Arjo en de kinderen eten vanavond?' vraagt ze met een gesuikerd stemmetje. 'Nee, het is allemaal iets uitgelopen. Ik zit nog steeds bij die pedicure. Ja, ja een eksteroog, heel vervelend. Nee, nee, die hoef ik niet te spreken, zeg maar dat ik wat later ben. Ja, ja, staat allemaal in de ijskast. Nu moet ik ophangen.' Snel beëindigt ze het gesprek.

'Klein kreng,' mompelt ze zacht.

'Wil hij dat dan niet zien vanavond?' vraag ik niet helemaal op mijn gemak. Ik ben een beetje overrompeld door het gemak waarmee ze schijnt te liegen.

'Wat? Dat eksteroog?' Ze schiet in de lach. 'Nee, natuurlijk niet. Arjo heeft geen interesse voor mijn voeten. Hij heeft nauwelijks interesse voor mij.'

'Kom,' zegt terwijl ze de motor opnieuw start. 'We gaan ervandoor, naar een plek waar niemand ons zal zoeken, waar niemand ons vindt.' Met gierende banden rijden we weg en die middag verlies ik mezelf volledig in een vrouw die mijn moeder had kunnen zijn.

We liggen naakt aan de waterkant, de zon staat laag en waarschijnlijk wacht mijn moeder met het eten. Het is nog steeds warm. Anja ligt met gesloten ogen op haar rug, roerloos. Ze ademt nauwelijks. Onze kleren liggen als een waaier verspreid om ons heen in het gras. Ongemerkt bestudeer ik haar.

'Niet doen,' zegt ze, 'ik ben oud en lelijk.'

'Niet zeggen, je bent het mooiste wat ik ken.'

'Lief.' Ze draait haar hoofd en kijkt me aan.

'Je lijkt op mijn moeder,' beken ik haar.

'Op Desiree?' Ze schiet in de lach.

'Nee, niet op Desiree, op mijn moeder, mijn echte moeder.'

'Ken je haar dan?'

'Alleen in mijn hoofd. Ik heb haar nooit gezien.'

En dan vertel ik het verhaal dat ik al die tijd verborgen hield.

Ademloos ligt Anja naar me te luisteren. Ik zie de ongelovige blik in haar ogen als ik vertel dat ik ben gevonden door een hond.

'Ben jij dat? Ben jij dat werkelijk? Dat jongetje dat bijna in stukken was gescheurd door een rottweiler?'

'Door een herdershond, het was een herdershond!' reageer ik nogal heftig.

'Meen je dat echt? Mijn god, ik herinner me dat moment nog precies, dat het op het nieuws was. Het was rond etenstijd, ik was zeventien. Begint mijn moeder ineens te gillen: "Anton, Anton! Kijk dan toch! Ze hebben een kind gevonden bij ons achter in het park." "Zeker weer van zo'n verslaafde temeier," hoor ik mijn vader zeggen. Dat herinner ik me nog, dat hij dat zei, een verslaafde temeier. Mijn kleine zusje vraagt aan mijn moeder of een temeier de vrouw van een timmerman is.'

Ik voel me ineens heel slecht. De mogelijkheid dat mijn moeder een heroïnehoer is heb ik nooit overwogen.

'Weet je wie ze is? Heb je ooit naar haar gezocht?'

'Wekenlang stond het in alle kranten, het was voorpagina-nieuws, haalde zelfs het achtuurjournaal. Maar ze is nooit op komen dagen. Waarschijnlijk bang om opgepakt te worden.'

'Ze moet eenzaam zijn geweest.' Een verdrietige schaduw trekt over haar gezicht. Ik vraag haar wat ze bedoelt.

'Begrijp je het niet?' zegt ze zacht. 'Een zwangerschap hou je niet zomaar verborgen.'

Nog een keer bemin ik haar vurig, niet meer zoals de eerste keer. Ik neem haar volledig in bezit. Ik wil haar nooit meer verliezen maar weet dat dat gebeurt. Vandaag of morgen.

Rosa

Ik leef alleen in een onverschillig universum. De liefde heeft mij nooit bereikt. Ik heb een aantal mannen leren kennen maar ik bleef onaangeraakt vanbinnen. Zeventien jaar geleden heeft zich een roofmoord afgespeeld in mijn leven. Een man stal mijn hart en vermoordde het. Op de lege plek heb ik een glazen hart geplaatst. En het doet het goed in deze wereld.

Toch ben ik niet ongelukkig. Ik woon en werk in een oude omgebouwde loods in het hart van Amsterdam. Als kunstenares leef ik er een klein, onopgemerkt bestaan.

Mijn achtertuin is mijn toevluchtsoord. Hier ga ik heen als ik me eenzaam voel. Hier staat mijn levenswerk, een beeldengroep die leven verbeeldt van het moment voor de geboorte tot aan het moment na de dood. Elk beeld is in deze deels overdekte tuin geboren. De tuin is gesloten voor publiek. Hier leven mijn kinderen die ik bescherm voor de anderen. De anderen zijn alle mensen buiten mijzelf. Ik en de anderen. Ik, mijn beelden en de anderen. Ik versus de wereld. De kille meedogenloze wereld die geen genade kent. De wereld die vals speelt, opjaagt, uitbuit, misbruikt. De wereld die me dwingt mee te spelen. Het spel dat ik niet beheers.

Met de anderen heb ik dan ook zo min mogelijk contact. Ik ben altijd bang dat als ik te lang naar ze kijk of luister dat er dingen worden gezegd die ik liever niet wil horen of dat ze elkaar beginnen te slaan. Daarom leef ik liever 's nachts.

Dan wandel ik door de stille straten. Ik vind mijn rust op de pleinen, in de parken. Ik praat er met de zwervers, de daklozen, de psychoten. Het zijn mijn lotgenoten. Ook zij zijn op de vlucht voor de wereld, de wereld waaraan ze niet kunnen ontsnappen.

Ik fotografeer ze, neem ze mee naar huis en geef ze tijdelijk onderdak en eten. Als tegenprestatie schilder ik ze. In hun eigen licht. Zoals ze waren bedoeld toen ze aankwamen op deze grauwe wereld. Maar waar maar een schaduw van over is. De schaduw die de hardheid van de wereld over hen heeft geworpen. De wereld die ik zo min mogelijk gebruik. Ik leef sober, permitteer me geen luxe. Ik heb ze niet nodig, ik heb niemand nodig van deze wereld. Dat is een geruststellende gedachte.

Mijn enige vriend is Joost. Hij leeft in hetzelfde park waar ik je ooit heb weggelegd. Hij zegt dat hij erbij is geweest. Dat hij alles heeft gevolgd vanaf een afstand en dat hij het zich allemaal precies kan herinneren. Ik weet niet of ik hem moet geloven. Hij vertelde me dit pas nadat ik hem vertelde wat ik verborgen hou voor de wereld.

Joost heeft een rijke fantasie, hij is zo betrokken, zo begaan dat als hij iets leest of hoort hij vervolgens denkt dat hij het zelf heeft meegemaakt. Ik ben er tot op heden nog geen één keer in geslaagd het precieze moment aan te wijzen waar de werkelijkheid overgaat in zijn fantasie. Die scheidslijn is heel dun.

Joost is hooggevoelig, paranormaal begaafd. Hij pakt telepathisch de gedachten op van anderen en communiceert met de wereld van de geesten.

Ik heb hem eens gevraagd om contact te maken met mijn Portugese voorouders. Maar hij verstaat ze niet, zegt hij, omdat ze geen Nederlands spreken. Of het waar is weet ik niet. Ik laat het maar zo. Ik vind het wel een geruststellende gedachte dat Joost de ziener van de wereld is.

Laatst heeft hij een kleine woongemeenschap opgericht.

Met dozen en oud bouwzeil maakte hij een klein tentenkamp onder de sparren in het park. Zeven slaapplaatsen had hij gecreëerd met in het midden een vuur dat kon branden. Zeven is een goed getal, vindt Joost.

Het was voor de daklozen die het leven moe waren geworden. Een plek waar ze even tot rust konden komen, waar ze zich konden verwarmen.

Maar rust is ze niet gegund, de daklozen. Er wordt voortdurend op ze gejaagd. Geen oog mogen ze dichtdoen, de zwervers. Dus moest hij het tentenkamp weer afbreken onder toeziend oog van twee agenten. Hij is er drie weken depressief van geweest.

Ooit was Joost een geliefd en veelgelezen schrijver. Maar sinds de dood van zijn vrouw heeft hij zich teruggetrokken uit de openbaarheid. Hij heeft zijn huis verkocht en is vrijwillig op straat gaan leven. Haar dood heeft hij nooit kunnen verwerken.

Toen is het begonnen, zegt hij, de onrust, de stemmen, de vervaging van de realiteit. Er zijn dagen dat de hele wereld zich in zijn hoofd afspeelt. Dan kan hij de kinderen in Irak horen huilen. Op die dagen is hij verdrietig en onrustig en draagt hij het leed van de wereld.

Als hij zich goed voelt schrijft hij. Hij maakt notities en aantekeningen op lege patatzakjes, weggegooide verpakkingen en op de witte ruimten van oude kranten. Dan is hij gelukkig, hij vergeet de wereld om zich heen en werkt geconcentreerd met een grijns op zijn gezicht.

Joost praat niet veel en kan goed luisteren. Hij weet altijd precies wat er in mijn hoofd omgaat. En als hij iets zegt denk ik daar weken over na.

Vaak zitten we 's nachts naast elkaar op een bankje aan de vijver in het park, in gedachten verzonken. Dan kijken we over het donkere water en delen een fles dure wijn. Een van de dingen die ik waardeer van deze wereld. Soms raken we verwikkeld in een gesprek. Maar als we hebben gezegd wat we erover wilden zeggen, treedt de stilte weer in.

Joost is 72 en ziet er apart uit. Lange witte haren, een haviksneus en een rimpelloos gezicht. Alleen rond zijn zilverblauwe ogen, heel fijne lijntjes.

❖

Rusteloos loop ik door mijn atelier. Niets wil lukken vandaag. Ik werk aan een serie stadsportretten en schilder Matthew: een Ierse alcoholist van wie wordt gezegd dat hij iemand vermoord heeft in het verleden. Matthew is een daklozenkrantverkoper, een ex-heroïneverslaafde met een rij grijze stompjes in zijn mond. Hij is nieuw in het park en ik fotografeerde hem gisteren.

De foto's zijn schitterend maar het lukt niet. Het heilige licht dat ik normaal gesproken zie opblinken blijft weg. Ik heb hem zo mogelijk nog desolater geportretteerd dan hij zich moet voelen.

Ik schenk mezelf rode wijn in en steek de zoveelste sigaret op. Wat is het toch wat ik voel? Drie dagen voel ik me nu al beklemd en ik heb geen idee waar die gevoelens vandaan komen.

Ik besluit stil te zitten, net zo lang stil te zitten tot ik mezelf begrijp. Ik loop de tuin in, kruip in de leunstoel onder de kromme appelboom en overdenk mijn leven. Ergens is het misgegaan. Op een bepaald punt in mijn leven ben ik vastgelopen. Ik probeer terug te denken naar dat moment, dat punt. Een aanwijzing, een flits, iets. Ik probeer me harder te concentreren maar de alcohol maakt het me onmogelijk.

Mijn ogen dwalen door de tuin, op zoek naar een aanwijzing, een herinnering. Mijn blik blijft hangen bij het beeld van een zwangere vrouw, haar gezicht is vertrokken in een grimas en met haar handen ondersteunt ze haar enorme buik. Op de plek van het kind bevindt zich een leeg gat. Het kind heb ik nooit kunnen maken.

En dan dringt zich een beeld aan me op, zo helder, zo scherp omlijnd, zo tastbaar. Het gezicht van Sylvo, de gouden arendsogen, de jaloerse blik, de trillende kaaklijn. Het is alsof ik door een tijdgat val en opnieuw ervaar ik de vernedering, de schaamte, de pijn. Het lege gevoel erna, door iedereen en alles verlaten te zijn. En ik besef dat het ergste was, niet de klappen, niet de pijn, maar de eenzaamheid erna, dat gevoel van isolement.

En voor het eerst sinds jaren stijgt er een doodgewaand platvloers verlangen in me omhoog, ik heb behoefte aan de anderen. Ik wil ze horen praten, horen lachen, zien kijken naar elkaar.

Ik besluit naar het zwembad te gaan. Het water zal me schoonspoelen, zal alle pijn verdrijven, de spoken uit mijn verleden.

In het kleedhokje overvalt me een licht paniekgevoel. Wat nu als ze tegen me praten, iets zeggen, contact proberen te maken? Maar ik besluit door te zetten. Ik verwissel mijn rafelige onderbroek voor mijn bikini. De enige die ik bezit. Ik bekijk mezelf in de spiegel van het kleedhokje en verwonder me over mijn spiegelbeeld. Ben ik dit werkelijk? Die hoge borstkas, die graatmagere benen, die lange armen. Ik kijk naar mezelf als een buitenstaander. Is dit mijn lichaam? Ik kijk naar mijn buik, geen grammetje vet. Een buik van een veertienjarig meisje. Een buik waarvan niemand kan vermoeden dat hij ooit een kind heeft gedragen. Niet aan denken nu. Ik sla stevig een groot badlaken om me heen, haal een paar keer diep adem en waag me naar de rand van het zwembad.

Een groepje moslimvrouwen krijgt zwemles. Ze zijn gekleed in leggings en T-shirts met daarover een badpak. De inburgering is nog geen voldongen feit. Een paar Nederlandse huisvrouwen trekken babbelend wat baantjes. Met kalme slagen en opgeheven hoofd zodat hun gepermanente haar droog blijft. Ik betrap mezelf op een glimlach terwijl ik me in het water laat zakken. Wat onwennig zwem ik een paar baantjes met de huisvrouwen mee maar al snel draai ik me op mijn rug en probeer te blijven drijven. Het is een spelletje dat ik als kind speelde met mijn vriendinnetjes. Wie het langst kon blijven drijven was de heks. Mijn lieve vriendinnen, hoe lang al heb ik niets van me laten horen? Zouden ze nog wel eens aan me denken of zouden ze me vergeten zijn? Heel stil lig ik, zonder te bewegen, gewichtloos. Mijn gedachten zetten zich stil en ik los op in het oneindige niets. Ik ben de heks vandaag...

De geluiden van het zwembad zijn nauwelijks nog hoorbaar en ik drijf weg in een warme groenblauwe oceaan terwijl dolfijnen in kringetjes om mij heen zwemmen en warme zonnestralen mijn lichaam bespelen.

Hij zit op de rand van het zwembad. Het is een lange donkerharige jongen met een getinte huid. Zijn lichaam is sterk en mager en met zijn gespierde voeten draait hij trage cirkels in het water. Hij lijkt gefascineerd door de rimpeling die ontstaat. Gebiologeerd kijk ik naar hem. Hij heeft iets stoers en eenzaams. Geïsoleerd maar sterk. Hij werkt als een magneet. Plots kijkt hij op en lacht verlegen als hij merkt dat ik hem bestudeer. Ik voel me betrapt en duik snel onder water waar ik net zo lang zwem tot ik in ademnood kom. Gehaast klim ik het trappetje op en verdwijn achter de plastic planten in het bubbelbad. Het water is heerlijk warm en er zijn geen andere mensen. Ik laat me naar de bodem zinken en rol me op als een foetus. Ik blijf zo stil mogelijk liggen en stel me voor dat ik ongeboren ben, een baby in de buik. Zonder verleden, geen angst, geen schuld. Ik blijf net zo lang liggen totdat ik opnieuw in ademnood kom. Weer boven water is het alsof alle pijn en schuld is weggewassen. Ik voel me herboren, leg mijn nek tegen de rand, sluit mijn ogen en droom weg.

Het water beweegt als iemand zich langzaam tegenover me in het water laat zakken. In een reflex open ik mijn ogen. Het is de jongen. Hij zit op nog geen anderhalve meter afstand naar me te kijken. Zijn glanzende zwarte haar hangt in slierten over zijn voorhoofd. Weer glimlacht hij. Onzeker glimlach ik terug en mijn blik valt op zijn sterke borstkas. Ik sluit mijn ogen weer.

'Leuke bikini,' zegt hij ineens. Hij spreekt Nederlands met een licht accent. Ik vraag me af of ik in de maling word genomen, de jongen is waarschijnlijk niet ouder dan vijfentwintig en de bikini die ik draag is niet echt het meest modieuze model. Het is een bikini voor een moeder, degelijk en vrolijk met rood-roze bloemen. Een bikini voor een gelukkige moeder die voor het eerst met haar baby in het water gaat.

Niet voor een vrijgezelle kunstenares zoals ik en zeker niet voor jonge, stoere, mooie jongens.

'Vind je?' vraag ik quasionverschillig en werp een vluchtige blik op mijn hesje. Tot mijn schrik zie ik twee harde tepels door de stof heen priemen. Ik laat me nog iets verder in het warme water zakken en besluit de jongen verder te negeren maar omdat we gelijktijdig bewegen raken onze voeten elkaar onder water aan. Een stroomstoot.

'Sorry, sorry,' zeggen we gelijktijdig. Hij glimlacht weer. Stilte. De jongen heeft het zich gemakkelijk gemaakt en hij sluit zijn ogen. Ik bestudeer hem stiekem vanonder mijn ooghAren. We zwijgen en opnieuw sluit ik mijn ogen. Zo blijven we een tijdje zitten, schijnbaar ontspannen terwijl het borrelende water zich vult met elektriciteit.

'Ik hou van bloemen,' zegt hij zonder zijn ogen te openen. 'Van bloemen en vrouwen zoals jij.'

'Je bent gek,' zeg ik. 'Je kent me niet. Hoe kan je houden van iets wat je niet kent?'

'Het is makkelijk,' zegt hij. 'Het gebeurt hier', en hij tikt tegen zijn hart. Ik sta op.

'Ik ga,' zeg ik, 'tot ziens.' Snel draai ik me in mijn handdoek en loop weg.

'Hé,' roept hij. Ik kijk niet meer om. Het is even stil. 'Je vergeet iets.'

'En?'

'Je naam.'

'Rosa,' zeg ik zonder om te kijken.

'Luciano.'

'Dag, Luciano.'

'Dag, Rosa.' Ik hoor hem even lachen. 'Je bent mooi, Rosa.'

Voordat ik de trap op loop naar de kleedhokjes dwingt iets in me nog eens om te kijken. Maar het bubbelbad is leeg, de jongen is verdwenen. Totaal verdwaasd duik ik een kleedhokje in en probeer een huilbui te onderdrukken. Waarom zegt hij dat? Waarom zegt hij dit nu, net op dit moment? Ik trek mijn natte bikini uit en opnieuw bekijk ik mezelf in de spiegel. Ik zie een spierwit marmeren lichaam. Mooi? Dat rare hoge borstbeen, dat spitse gezicht met die grote scheve neus. Haastig trek ik mijn kleren aan en pak mijn tas. Als ik buiten kom speur ik het zwembad af of ik de jongen nog ergens zie. Maar het is alsof hij van de aardbodem is verdwenen, alsof hij nooit heeft bestaan. De hele nacht ben ik onrustig.

De volgende morgen schrik ik wakker uit een droom. Het is tien voor halfzes en ik ben klaarwakker. Rillend sla ik een wollen deken om mijn naakte lichaam en loop de wenteltrap af naar beneden. Ik maak koffie voor mezelf, loop naar het atelier en open de serredeuren. Diep inhaleer ik de frisse morgen en zet mijn blote voeten op het bedauwde gras. De grond is nat en koud.

Vlug ren ik over het natte gras en kruip in de rieten stoel onder de appelboom. Ik sluit mijn ogen en concentreer me. Diep weggedoken in de deken probeer ik me mijn droom te herinneren.

De herinnering komt in flarden, als in een vertraagde film. Een bergtop, een smal slingerend pad dat omhoog leidt. Klaver, boekweit, mijn vingers in de zuigende modder gestoken. De hitte, de benauwdheid, boterbloemen. De beklemming op mijn borst. Mijn gekromde tenen die houvast zoeken in de glibberige kleigrond. Stukje voor stukje zwoeg ik me een weg naar boven. Ogen die me volgen, de wachtende aanwezigheid boven op de berg. Een jongen met zijn armen gekruist over zijn borst geslagen en het zelfvertrouwen van Goliath. Ik weet dat jij het bent.

'Ik ben er bijna, nog heel even, niet weggaan.' Ik probeer me verstaanbaar te maken maar er komt geen geluid uit mijn mond. Nog een klein stukje. Ik stoot op een steen, het is een hooggehakte schoen, en ik glijd uit. Een stem die verrassend helder tegen me spreekt: 'Je had je de moeite kunnen besparen.' Iemand die naar me spuugt. Ik verlies houvast en rol naar beneden. Ik val, dieper en dieper maar in mijn val opent zich een parachute die me omhoog brengt. Omhoog, omhoog, steeds verder.

Maar ik ben het niet die verdwijnt, jij bent het. Ik sta nog steeds beneden aan de berg en kijk hoe de afstand steeds groter wordt tussen ons.

Ik neem een slok van de koud geworden koffie en probeer het nare weeë gevoel te onderdrukken. Demian, heb ik je genoemd. Met kleine zwarte steken heb ik je naam in een anagram in het blauwe dekentje genaaid. Demian naar Mandie. Sylvo's kind. Het kind uit de donkerste periode van mijn leven.

En dan komen de vragen, vragen die ik je nooit heb kunnen stellen. Wat gebeurde er met je nadat ik je achterliet in het park? Wie zorgde er voor jou de eerste tijd? Wie gaf je de fles, verschoonde je en deed je in bad? Huilde je veel in het begin? Wie leerde je lopen en later fietsen? Kon je mooi tekenen? Wie waren je vriendjes en vriendinnetjes? Deed je goed je best op school? Of deed je vaak stoute dingen? Demian. Welke naam hebben ze je gegeven nadat je werd gevonden? Waar ben je? In welk land, welke stad, welke straat? Heb je me gemist? En ik? Heb ik jou gemist?

En voor het eerst sinds al die jaren voel ik spijt. En dat komt door die jongen in het zwembad, die jongen die door het pantser van mijn eenzaamheid is heen gebroken.

De dagen erna kan ik niet meer stoppen met aan je te denken. Geen moment ben je nog uit mijn gedachten. Keer op keer zie ik mezelf weer rennen door de straten. Het is alsof alle keurig verdrongen gedachten zich hebben opgespaard en nu exploderen in mijn hoofd als een bom. Het zijn flitsen, fragmenten, zo helder, zo gedetailleerd dat ik me afvraag of ik gek aan het worden ben. Zou het mogelijk zijn, je eens te ontmoeten? Na alles wat er is gebeurd? Samen naar de stad, winkelen, jongenskleren kopen. Nadenken over een studierichting, een kamer voor je zoeken, kennismaken met je nieuwe vriendin.

Heb je het recht een kind te zoeken dat je eens zelf hebt weggelegd?

En hoe doe je dat? Een advertentie plaatsen? Een tv-programma inschakelen. *Spoorloos*? *Vermist*? Of een nieuw programma van een of andere commerciële zender. Over moeders die hun weggelegde kinderen zoeken. In gedachten zie ik de oproep in de bladen.

Nieuw tv-programma *Vind Uw Kind* zoekt moeders die ooit hun kind te vondeling hebben gelegd.

Ooit zelf uw kind weggelegd? Of kent u iemand in uw omgeving? Geef u dan nu op voor het nieuwe amusementsprogramma van Net II waarin drie moeders de strijd aanbinden met elkaar en op zoek gaan naar hun biologische kinderen. De 'moeder' die haar kind het eerst heeft gevonden wint een reis naar Hawaï om gezellig samen met de zoon of dochter de verloren tijd in te halen. Bovendien krijgt de moeder die de confrontatie aangaat met de biologische vader van het kind een nieuwe Renault, een dvd-speler met flatscreen en digitale televisie.

Ik huiver van mijn eigen gedachten. Niet meer aan denken nu. Het is voorbij, voorgoed, verleden tijd. Ik loop naar binnen, sluit de serredeuren en maak nieuwe koffie voor mezelf.

❖

Zwijgend zitten we naast elkaar op een bankje in het park.

'Je hebt iemand ontmoet.' De stem van Joost klinkt zacht en troost mijn verwarde ziel.

'Je hebt iemand ontmoet,' zegt hij weer, 'en het heeft je geraakt.'

Ik neem een slok van de rioja.

'Ik zal het niet ontkennen. Ik moet met je praten, Joost, die jongen...'

'Liefde is geen optelsom, Rosa. Liefde is complete verwarring.'

'Maar geeft liefde geen rust?'

Het duurt even voordat Joost weer spreekt. We zijn allebei een moment verzonken in onze eigen gedachten.

'Later misschien. Misschien als alles goed gaat. Maar in het begin is er verwarring. Liefde kan leiden tot totale destructie.'

'Maar is dat niet de hartstocht die je omschrijft?'

'Er bestaat geen liefde zonder hartstocht, al het andere is vriendschap, genegenheid. Liefde verlaagt je om je, als je het beiden volhoudt, op te heffen. Er bestaat geen liefde zonder verwarring, zonder verwonding. Liefde is complete chaos en als je je handhaaft in de chaos zul je vinden wat eenieder zoekt, de totale liefde, de rust, de overgave. Daaraan herken je de liefde.'

'Heb jij ooit zo liefgehad?'

'Nee, nooit. Ik heb nooit durven liefhebben. Bang gekwetst te worden heb ik de liefde laten gaan. Jarenlang was ik met haar getrouwd maar elke keer dat de liefde mij in de ogen keek, heb ik me afgewend, bang om herkend te worden.'

'Is dat de reden? Dat je haar nooit hebt kunnen vergeten?'

'Ik heb haar nooit liefgehad. Pas na haar dood kon ik de liefde voelen, de liefde waar ik mijn hele leven voor ben weggevlucht. Die liefde achtervolgt me nu.'

Ik leg mijn hoofd op de schouder van Joost. Lang zitten we zo. Arme Joost. Wat een treurig verhaal maar voor hoeveel mensen gold dit niet?

'En wat ik voor jou voel, Joost. Kan ik niet altijd bij je blijven? Deze nacht, deze gesprekken. Kan het niet altijd duren?'

'Nee, dit is geen liefde, dit is vriendschap. Luister naar de taal van je emoties, Rosa. Luister naar je hart.'

❖

Precies een week later op hetzelfde tijdstip waag ik me weer naar het zwembad. Het gesprek met Joost heeft me kracht gegeven. Ik heb mijn bloemetjesbikini verruild voor een hippe zwarte met zilveren ringetjes en voel me wonderlijk sterk.

Ik sta met één voet op het trappetje als ik hem weer zie. Hij staat op dezelfde plek waar ik hem de eerste keer zag. Dit keer in gezelschap van een andere jongen en een mooi donkerharig meisje. Zo te zien een Marokkaanse.

Hij staat achter haar, heeft zijn armen om haar middel geslagen en probeert haar in het water te duwen. Het meisje spartelt in zijn armen als hij haar optilt. Als hij me ziet laat hij plotseling los en met een hoge gil verdwijnt ze in het water.

Roerloos staan we een moment naar elkaar te kijken. Ik voel me vreselijk naakt. Het meisje komt proestend boven en probeert hem nu aan zijn voeten het water in te trekken. Hij zet af en duikt… als een parelvis schiet hij pijlsnel door het water en voordat ik weet wat er gebeurt zit hij naast me op de rand van het zwembad.

'Je bent er weer,' zeg hij lachend. Het water loopt in zilveren stroompjes over zijn lichaam.

'Ja, ik ben er weer,' zeg ik en zonder erbij na te denken ga ik naast hem zitten.

'Ik vroeg me af of ik je terug zou zien.'

'Ik ben er weer,' zeg ik overbodig.

'En nu?' Hij kijkt me schuin aan.

'Dat ligt eraan.'

'Waaraan?'

'Aan jou.'

'Ik wil je zien.'

'Ik wil je tekenen. Meer niet.'

'Waarom niet?'

'Je bent mijn type niet.' Het is een aperte leugen, het is de mooiste jongen met wie ik ooit een woord heb gewisseld. De jongen kijkt me onderzoekend aan, alsof hij twijfelt.

'Dat kan,' zegt hij dan.

Het is even ongemakkelijk stil voordat hij vraagt: 'Wat is je type dan wel?'

'Ik val meer op blond,' zeg ik alsof ik het voor het uitkiezen heb en het een gewoonte van me is contacten te leggen in openbare gelegenheden en me te laten versieren zittend op de rand van het zwembad.

'Daarbij ben je te jong.'

'Ik ben 22.'

'Ik ben 34. Ik ben te oud voor jou.'

'Ik hou van oudere vrouwen.'

'Ik ben geen oudere vrouw, jij bent gewoon te jong.' Hij lacht.

'Kom zondagavond naar mijn atelier, om halfnegen.'

Ik geef hem mijn adres en zonder het water in te zijn geweest verdwijn ik richting de douche. Ik hoor het Marokkaanse meisje achter mijn rug giechelen.

Hij is precies op tijd en gekleed in een verschoten spijkerbroek, een zwart T-shirt en een oranjebruin leren jasje. Zijn haar draagt hij in een staartje. Hij ziet er onwaarschijnlijk knap uit.

'Het wordt een portret,' zeg ik als ik hem binnenlaat.

'Je gezicht intrigeert me,' voeg ik er even later aan toe als ik voorga naar het atelier.

'Waarom is dat?' wil hij weten. 'Waarom intrigeer ik je?'

'Jij intrigeert me niet, je gezicht intrigeert me,' verduidelijk ik hem om zo nog enige afstand te bewaren.

'Maar waarom?'

'Dat weet ik niet, als ik dat zou weten zou het waarschijnlijk niet zo zijn.'

Ik praat als een kunstenaar om hem op een verkeerd spoor

te zetten. Het werkt, hij vraagt niets meer.

'Ga daar maar zitten.' Ik wijs naar het kleine met verfspatten bedekte krukje. 'De verf is droog.'

Hij gaat zitten. Ik zoek naar het juiste licht en begin. Hij zit doodstil en kijkt me recht aan. Ik heb het gevoel dat ik door zijn pupillen heen recht zijn ziel in tuimel. Ik wend mijn ogen af en vraag hem niet naar mij te kijken maar zijn blik naar beneden te richten. Ik teken hem en profil, zijn ogen halfgeloken, gericht op een punt verderop op de vloer. Ik concentreer me, probeer mezelf te vergeten, dwing mezelf niet naar hem te kijken maar naar de contouren, de lichtval, de essentie. Ik schets als een bezetene om maar niets te hoeven voelen. Zo werk ik een uur lang in een monomane stilte. Alleen het gekras van de houtskool op het papier is hoorbaar afgewisseld door het onregelmatige kloppen van mijn hart. Ik zie een licht in hem dat ik niet kan benoemen. Mijn handen zijn klam en mijn zenuwbanen voelen aan als snaren van een te strakgespannen viool. IJskoude straaltjes zweet glijden kriebelend over mijn rug naar beneden maar brengen geen verkoeling. Mijn hand verkrampt en mijn wil verzwakt.

'Ik stop ermee,' zeg ik.

'Nu al?' Weer kijkt hij me recht aan.

'Ja,' zeg ik kort, 'ik heb genoeg schetsen, de rest werk ik later wel uit.'

'Wat je wilt,' zegt hij.

Wat ik wil? denk ik. Wat ik wil kan niet.

'Je zegt het maar.'

Zijn ogen zijn zwart van verlangen en kijken me vragend aan.

Het zweet breekt me nu aan alle kanten uit en op dat moment wordt mijn verzet gebroken. Alsof een koord me met hem verbindt word ik naar hem toe getrokken. Met het stuk houtskool nog in mijn hand en een snel verminderend realiteitsbesef loop ik op hem af. Wijdbeens laat ik me op zijn schoot glijden en in een reflex sla ik mijn beide armen om hem heen en leg mijn hoofd in zijn nek. Zachtjes maar dwingend trekt hij mijn heupen dichter naar zich toe en ik voel hoe zijn harde lid mijn warme kruis raakt. Een hete koortsgolf trekt door mijn lichaam.

'Zeg jij het maar,' fluister ik en voel zijn handen onder mijn T-shirt omhoog glijden. Een gekmakend verlangen ontneemt me al mijn verstandelijke vermogens als hij me omhoog tilt en neerlegt op de kale houten vloer van het atelier. Gehypnotiseerd staar ik in zijn ogen terwijl hij eerst mij uitkleedt en vervolgens zijn broek losknoopt. Als een drenkeling grijp ik me vast aan de poot van de schildersezel als hij met een korte stoot in me binnendringt.

Zijn bewegingen zijn snel en heftig. Ik probeer mijn hoofd vrij te laten en te genieten van deze jonge Don Juan maar hij is te onbeheerst alsof hij me alles in één keer geven wil, alsof er geen tijd is voor onze liefde. Hij komt te snel klaar, raapt gehaast zijn kleren bij elkaar en vertrekt. Hij kust me vluchtig en belooft dat hij terugkomt.

Een halfuur nadat hij is vertrokken realiseer ik me dat ik nog steeds naakt op de vloer lig met mijn rug op het harde hout.

De uren en dagen erna is hij voortdurend in mijn gedachten en de herinnering aan hem tovert een stille glimlach op mijn gezicht.

De weken erna hoor ik niets van hem en ik begin net te geloven dat hij me net zo snel is vergeten als hij me heeft genomen als ik zijn stem hoor op mijn antwoordapparaat. Hij wil me zien en vraagt me die middag naar het terras van de Oude Wingerd te komen. Mijn hart begint wild te bonzen als ik zijn stem hoor en vervolgens luister ik het bandje nog tien keer af om ieder woord, elke klank van hem in me op te nemen.

Ik kijk op mijn kledingrek. Oude broeken vol verfvlekken en met gerafelde pijpen, afgesleten mannenoverhemden en ouderwetse shortjurken om in de tuin te werken. Niets is geschikt. Ik denk aan het Marokkaanse meisje in het zwembad en vraag me af hoe zij zich kleedt. Snel laat ik de gedachte weer varen.

En dan doe ik iets wat ik al jaren niet meer heb gedaan, ik ga naar de markt. Het is een doordeweekse dag en relatief rustig op straat. Een vroeg voorjaarszonnetje doet zijn best me gerust te stellen.

Maar de stap is te groot, ieder mens die me passeert is er een te veel. Als een carnavalsoptocht trekken de anderen aan me voorbij terwijl ik me een weg baan door de anderen op zoek naar een jurk voor mijn geliefde. Grijnzende maskers, bestolen van enig empathisch vermogen. Angstig zoek ik een plek om me te verstoppen. De paniek, die me al jaren op de voet volgt als een trouwe hond, kan nu elk moment bezit van me nemen.

Het gevoel dat ik aan het verdwijnen ben terwijl niemand dit opmerkt, kan ik niet meer van me afzetten. Langzaam los ik op. Maar net voordat ik volledig van de aardbodem ben verdwenen komt er hulp.

Ik ben er niet helemaal van overtuigd of wat nu volgt echt gebeurde of dat het zich slechts afspeelde in mijn geest maar het hielp.

Een kleine Indonesiër met een scheve glimlach en een gebreid wollen mutsje op, merkt me op. Hij kijkt vriendelijk-bezorgd en zijn blik doet me stoppen. Ik transpireer nu hevig. Hij wenkt me.

'Kom,' zegt hij en wijst op een kleine zwarte stoel, 'ga hier maar even zitten.'

Ik doe wat hij zegt, blij dat iemand het even van me overneemt.

'Zitten blijven en ademhalen,' zegt hij. Hij loopt naar achter en komt even later terug met een klein plastic zakje met naalden.

'Ontmoetingen zijn nooit toevallig. Jij zocht hulp en ik heb jouw signaal gevangen.'

Het duurt maar even. In een razend tempo steekt hij het hele zakje naalden in mijn oren. Bij de eerste naald voel ik een felle pijn, daarna is het pijnloos.

'Een halfuurtje, zo blijven zitten, niet bewegen,' zegt hij streng en loopt naar voren om een klant te helpen.

En daar zit ik, midden op de dag, verstopt in een marktkraampje tussen de wierook, plastic boeddhabeeldjes en de prullaria. Onbeweeglijk, met veertien naalden in mijn oren.

En het wonder geschiedt. De paniek neemt af en ik zie hoe een giftige grijze wolk via mijn voeten mijn lichaam verlaat en verdwijnt in aarde.

Langzaam word ik me weer bewust van mijn lichaam en geleidelijk komt het gevoel terug in mijn benen, mijn voeten, mijn handen, mijn hart. En dan begin ik te huilen, geluidloos, om alles en iedereen. Om dromen die nooit uit zijn gekomen, om geliefden die elkaar nooit hebben ontmoet, om de bevolking van Irak. Als het huilen is gestopt staat het mannetje weer naast me. Hij geeft me een zakdoek en een glas water.

'Ga nu je jurk maar kopen,' zegt hij met een veelbetekenende glimlach en stuurt me terug tussen de anderen, die ineens veel gewoner uit hun ogen kijken.

Mijn keuze valt op een zwart jurkje met paarse vlinders. Voor vijftien euro koop ik er nog een paar goudkleurige sandalen bij. Ik fiets naar huis en de warme voorjaarszon zingt een Luciano-song.

Zwijgend zitten we die middag op een terras aan een van de grachten van Amsterdam. Ik zie de mensen om ons heen naar ons kijken en probeer hun gedachten te raden. Ik voel me ongemakkelijk onder hun blikken. Of verbeeld ik me dit alles maar? We bestellen wijn en ik merk dat ook hij nerveus is alsof hem iets dwarszit.

Zo zitten we een tijdje zonder een woord te wisselen en bestuderen de nieuwkomers op het terras. Een man met een rood-wit geblokte blouse en twee ijsetende kinderen flirt openlijk met me. Luciano en ik zijn even donker maar hij is te volwassen om mijn zoon te kunnen zijn. Ik wend mijn blik af en kijk even naar Luciano. Hij pakt mijn hand en vlecht zijn vingers door de mijne.

'Rosa,' zegt hij, zijn stem lijkt van ver te komen. De middagzon en de wijn maken me loom en rozig. De man met de blokjesblouse houdt me nauwlettend in de gaten terwijl hij het druipende ijs van het hoorntje van zijn dochtertje likt.

'Luister, zegt hij zacht, ik heb nagedacht. Zou het niet kunnen dat jij en ik... Ik bedoel, kun je het geen kans geven? Geen echte kans?' Een moment weet ik niet wat ik moet zeggen.

Meent hij dit werkelijk? Ik kijk hem aan. Nee, Luciano is geen jongen, hij is een man. En straalt meer zelfvertrouwen uit dan ik op het moment.

'Maar hoe?' vraag ik.

'Gewoon dit, jij en ik,' zegt hij en kust mijn blote bovenarm.

'Maar hoe?' vraag ik weer. 'Hoe moet dit dan? Wat doen we? Waarover praten we?' Maar eigenlijk wil ik niets liever.

Ik denk aan de beschikbare mannen uit mijn eigen leeftijdscategorie. De vrijgezelle dertiger, het eeuwige fuifnummer, vroeg oud door drank en drugsgebruik en met intense bindingsangst. De gescheiden vader, ook vroeg oud doordat hij ergens is vastgelopen en maandelijks te veel alimentatie moet betalen. Wanhopig op zoek op allerlei datingsites, bang alleen achter te blijven. Rugzakken van beton, met een jaloerse ex op de achtergrond die dagelijks belt over de opvoeding van hun getraumatiseerde kinderen. Kinderen die een keer in de twee weken hun frustraties over de scheiding komen botvieren.

Zijn gezicht is nu heel dichtbij en hij bijt zacht in mijn onderlip.

'*Mi amor*,' mompelt hij. De flirtende man kijkt me indringend aan en morst ijs op zijn gestreken blouse.

Een licht paniekgevoel overvalt me, ik wil opstaan, wegrennen. Daar had ik moet zitten, naast die man, ijs eten met mijn gezin. Een gezin. Waarom heb ik eigenlijk geen gezin? Ik sta op.

'Ik moet gaan,' zeg ik. Luciano pakt mijn pols vast.

'Nadenken,' zeg ik en trek mijn hand los.

Ik spring op mijn fiets en rij hard weg. Twee paar ogen prikken in mijn rug. Doelloos fiets ik door de stad, mijn gedachten razen door mijn hoofd. Ik ben bang voor deze jongen met zijn wilde ogen. Ik koop drie bollen meloen- en sinaasappelijs en ga bij de fontein zitten. Nadenken. Waarover? Waarom ik niet kan liefhebben? Of is het algemeen geaccepteerd dat ik een relatie wil met een jongen die net volwassen is.

Ik kijk naar de duiven die een wreed liefdesspel spelen. Was het maar zo makkelijk. Je geven aan een voorbijganger, een willekeurige passant. Overgave die wordt afgedwongen zonder enige emotie. Een leven zonder gevoel, zonder echt geraakt te worden. Is dat wat ik wil? Veilig in mijn achtertuin, verborgen voor de wereld. Geen pijn, geen onrust maar ook geen vreugde. Is dat wat ik wil? Leven zonder echt te leven. Leven om te overleven.

Langzaam fiets ik terug naar huis en sluit me op in mijn atelier. De kunst zal me bevrijden van die lastige gevoelens.

Ik probeer me te concentreren, te focussen, mezelf te hernemen. Maar het lukt niet, rusteloos loop ik op en neer. Ik open de tuindeuren en een warme voorjaarswind waait om me heen. Leef, leef! zingt de wind. Luciano heeft iets losgemaakt. Het beest dat jarenlang heeft liggen slapen roert zich, beweegt zich. Ik trek een nieuwe fles rode wijn open. De alcohol zal me rustig maken, zal het beest doen zwijgen. Ik drink een liter rode wijn en verpest drie doeken. Maar niets helpt.

Om drie uur 's nachts bel ik hem. Hij neemt op en ik leg neer.

Ik ben verliefd als een veertienjarige.

De deurbel gaat. Luciano hangt in de deurpost en kijkt me vragend aan. Ik laat hem binnen.

'Maar niet te lang, ik ben aan het werk,' zeg ik en realiseer me dat het belachelijk klinkt, het is vier uur in de ochtend.

'Je bent dronken,' zegt hij.

'Dat ook,' zeg ik. 'Wat kom je doen? Ik moet werken,' probeer ik mezelf te overtuigen.

'Je bent dronken.'

'Dat ook,' zeg ik weer.

'Alsjeblieft, Rosa, doe dit niet. Hoe vaak gebeurt dit in een leven?'

'Gebeurt wat? Liefde? Is dat waar je het over hebt?' mijn stem slaat over en ik heb zin om hem te slaan.

'Ja, dat is waar ik het over heb. Hoe vaak is het gebeurd in jouw leven?'

'In mijn leven...? Wat heb je verdomme met mijn leven te maken?'

Er knapt iets en dan realiseer ik me dat het een wijnglas is dat ik nog steeds in mijn handen heb. Het is geknapt tussen mijn vingers. Een scherf heeft zich in mijn hand geboord. Mijn vingers bloeden en een dikke druppel felrood bloed spat uiteen op mijn blote voet. Luciano kijkt bezorgd. 'Gaat het wel?' vraagt hij.

'Nee, niet echt.'

En dan komen ze, de tranen, stil glijden ze naar beneden, zonder doel of commentaar.

'Niet bewegen,' zegt hij en tilt me op over de scherven heen.

Die nacht is hij gebleven. We zijn naar de zolderkamer gegaan, hebben ons uitgekleed en zijn naast elkaar op bed gaan liggen. Heel stil lagen we, zonder een woord met elkaar te wisselen, bang de verkeerde dingen te zeggen.

De hele nacht ben ik wakker gebleven, ervan overtuigd dat hij ervandoor zou gaan als ik in slaap zou vallen. Met open ogen lag ik in het donker te staren en luisterde naar zijn ademhaling. Ik wachtte op het moment dat hij uit bed zou springen en tegen me zou zeggen dat het een vergissing was.

Maar Luciano bleef. En pas tegen de ochtend heb ik zijn hand gepakt. En hij bracht die hand naar zijn mond en kuste mijn vingers één voor één. Toen kuste hij mij, onze eerste kus. Vanaf dat moment wist ik dat hij zou blijven. Wat ik ook zou doen, hoe bang ik ook zou zijn.

Achter in de tuin tussen de rozenstokken maak ik een altaar. Om het oude handgeschilderde Mariabeeld dat mijn tuin bewaakt, plaats ik in een cirkel zeven brandende kaarsen. Ik bewierook de plek met sandelhout en kniel op de vochtige aarde. Om twaalf uur precies, bij het licht van de volle maan ga ik in gebed en vraag om vergeving.

Maar terwijl ik daar zit en naar een paar glimmende regenwormen staar, vraag ik me af wat mijn zonde is. Liefde? Niet liefhebben, dat is een zonde. Of hou ik mijzelf voor de gek? Ik kijk naar het devote gezicht van Maria en vraag haar om advies. Maar de stenen vrouw met het warme hart glimlacht alleen maar en naarmate ik langer naar haar staar wordt haar lach alleen maar groter.

Voor een moment hoor ik haar even schaterlachen. Of verbeeld ik me dit maar?

Luciano is een van de anderen. Als ik mijn hart wil volgen en bij hem wil zijn kan ik me niet langer verstoppen voor de wereld en haar inwoners. Hij woont in een flatgebouw verderop, tien minuten lopen bij mij vandaan. Om hem te moeten bezoeken moet ik drie straten door. Bij daglicht is alles anders, de kleuren, de geluiden, alles zo intens. Vaak loop ik met gebogen hoofd en ben ik zo onopvallend mogelijk gekleed. Ik voel me onzeker en naakt alsof ik geen kleren draag.

De lift en de galerij vormen een wezenlijk probleem voor me. Het idee iemand te moeten begroeten of opgesloten te zitten met een wildvreemde in de lift vervult me met afschuw. Vaak neem ik de trap. Bij iedere voetstap, elk onverwacht geluid, worden mijn handen klam en suist het bloed door mijn aderen.

Dan heb ik de neiging terug te rennen, me te verstoppen onder het trappenhuis en te wachten totdat het gevaar is geweken. Ik voel me een kind op de vlucht voor het donker.

Maar het valt mee, de meeste mensen laten me met rust. Ze leven hun eigen leven en gaan volledig op in hun eigen gedachten. Een kort knikje, een mompelend onhoorbaar hallo volstaat in de meeste gevallen om iemand te laten passeren. Langzaam begin ik te wennen aan de wereld en haar inwoners. Sommigen kijken zelfs vriendelijk.

Luciano is een levensgenieter, een bon vivant, hij doet het liefst de hele dag niets. Drie jaar geleden is hij vanuit een Spaans bergdorp in Andalusië naar Nederland gekomen om aan het conservatorium klassieke gitaar te studeren. Toen hij auditeerde werd hij direct aangenomen maar door geldgebrek is hij nog steeds niet begonnen. Echt druk schijnt hij zich er verder niet over te maken. Luciano leeft vrijwel zorgeloos. Een ander stresspunt dan 'wat trek ik vandaag aan' en 'wat zullen we eten vanavond' heeft hij niet. Hij gaat laat slapen en staat tegen de middag pas op.

Hij tokkelt wat op z'n gitaar, staat een uur onder de douche, schrijft een paar regels tekst op die hem zijn ingevallen en gaat vervolgens cappuccino drinken in de stad.

Om de huur van zijn appartement te kunnen betalen werkt hij drie avonden per week in een Turks restaurant in de binnenstad. Luciano leeft van zijn fooien: die zijn gigantisch. Aan het eind van de avond schuift hij bij de overgebleven gasten aan tafel en zingt met hese stem Spaanse liedjes over verlangen en eenzaamheid, teksten die hij zelf heeft geschreven. En aan elke tafel vertelt hij hetzelfde verhaal. Dat hij naar Nederland is gekomen om les te volgen aan het conservatorium maar dat hij door geldgebrek genoodzaakt is in een restaurant te werken.

De meeste toeristen zijn dol op de donkere jongen met zijn innemende glimlach, het ravenzwarte haar en zijn gitaar. De fooien die ze hem aan het eind van de avond toeschuiven zijn dan ook buitenproportioneel.

De buitenlandse studentes adoreren hem. Aan het eind van iedere avond is hij in het bezit van zo'n vijf, zes nieuwe telefoonnummers.

Maar hij doet er niets mee. Ook al is hij een rasechte verleider, Luciano is trouw. Heeft hij zijn prooi eenmaal binnengesleept dan laat hij die voorlopig niet meer gaan. Een uitzonderlijke combinatie, een oprecht equivalent van Don Juan.

Het begin is onwennig. Gevoelens van schuld en extase wisselen elkaar in hoog tempo af. Ik voel me jong en oud tegelijk. Enerzijds heb ik het gevoel dat ik Luciano iets ontneem door toe te geven aan deze verliefdheid. Anderzijds is het verlangen bij hem te zijn zo hevig dat het me wreed en onnatuurlijk lijkt deze gevoelens onbeantwoord te laten.

Ook ben ik voortdurend bang hem te verliezen. Aan iemand die jonger is, iemand die mooier is en minder beschadigd is dan ik. Iemand uit zijn eigen wereld, een van de anderen. Maar Luciano is niet geïnteresseerd in zijn leeftijdsgenoten. Hij weet precies wat hij wil, bij me zijn. Hij toont zich hierin heel koppig.

Dagenlang verkeren we in elkaars aanwezigheid. We zoeken in elkaars boekenkast, dragen elkaars kleren en luisteren naar elkaars muziek. We filosoferen over de schilderkunst, oosterse religies en de zin van het zijn.

Eindeloos discussiëren we over het zenboeddhisme, Mozart en Matisse. Ik heb het gevoel in Luciano mijn gelijke te hebben gevonden.

Omdat ik me zo lang niet op het speelveld van de liefde heb begeven lijken we emotioneel even volwassen. Hij leert me onbevangen te zijn, licht en speels. Niet alles te willen controleren, je niet vast te klampen aan het leven maar ermee te dansen.

En ik vertel hem over de schaduwzijde van het leven. Over teleurstelling en pijn. De gevolgen van verkeerde keuzen, de impact die dat heeft. Over vallen en opstaan, bewust kiezen, moed houden. Nooit opgeven. Ik bescherm hem met mijn duisternis en hij omhult mij met zijn licht. Luciano en ik zijn een.

Urenlang kan ik naar hem kijken, ik schets hem, schilder hem, volg al zijn bewegingen. Terwijl hij zit te tokkelen op zijn gitaar en zacht een nieuwe melodielijn neuriet, als hij even opstaat om iets te pakken... Steeds weer verwonder ik me over hem. En als hij even opkijkt is het of de wereld stilstaat, of alles ophoudt te bestaan. Dan weet ik niet hoe ik moet kijken, hoe ik terug moet kijken. Ik ben bang hem te verliezen, mezelf te verliezen in hem. Ik kruip bij hem op schoot en hij fluistert verhalen in mijn oren, over de wereld, over de anderen. Of leest me in het Italiaans voor uit Goldoni's 'Geppetto en Pinocchio', mijn lievelingsverhaal. Vaak doe ik of ik in slaap val tijdens het voorlezen. Dan draagt hij me naar de slaapkamer, legt me op bed en kleedt me uit. En terwijl ik me slapende hou hoor ik hoe hij in het Spaans liedjes voor me zingt. En dan verdwijnt mijn angst. En als ik 's ochtends wakker word en in zijn zwarte ogen kijk verlies ik mezelf opnieuw.

Martin

Ik lig op het koude beton van de garagevloer onder mijn werktafel. Ik lig hier nu al tien dagen, verstoken van zonlicht, verstoken van haar. Ik eet niet, ik douche niet, ik voel zelfs geen behoefte me af te trekken. Verliefde mensen denken niet aan seks, ze denken aan de dood of aan God.

Af en toe sta ik even op om een biertje te pakken of te pissen. Tegen Desiree heb ik gezegd dat ik aan het werk ben. Maar ik werk niet, ik ben verlamd door verliefdheid. Op een vrouw die mijn moeder had kunnen zijn.

Het was de dag nadat we vreeën aan de waterkant. De dag dat neuken veranderde in beminnen. De deurbel ging. Ik haastte me die morgen naar beneden om de voordeur te openen. Het was Anja, haar haar was nog nat van het douchen. Ze rook naar vanille-ijs en had een opgejaagde uitdrukking in haar ogen.

'Is je moeder thuis?' vroeg ze. Ze gebruikte het woord moeder expres. Traag schudde ik mijn hoofd, gek van verliefdheid en verlangen. Het liefst had ik haar staand genomen in de portiek. Iedereen en alles negerend: de postbode, de voorbijgangers, de hele villawijk.

'Luister, Martin,' fluisterde ze toen op indringende toon, 'ik moet met je praten. Wat er is gebeurd gistermiddag... het is verkeerd. Het kan niet, het mag niet. Het is Desiree, hoe kan ik haar nu nog aankijken?' vroeg ze alsof ik het antwoord had.

Maar ik kon niets uitbrengen, geen woord, ik kon alleen maar naar haar mond staren die weer half openstond.

'Je bent haar zoon, Martin. Je had verdomme mijn zoon

kunnen zijn. Je moet het me beloven, Martin, geen woord. Je moet het vergeten, Martin, je moet het wissen.'

'Beloof je dat?' Ze stond nog steeds in de deuropening. Omdat ik nog steeds geen woorden kon vinden knikte ik.

'Zweer het,' zei ze toen.

Ik stak voor de vorm twee vingers op en liet haar binnen.

'Desiree zal zo wel komen. Koffie?' Mijn stem was terug.

'Graag, zwart met veel suiker.' Ik maakte koffie voor haar en voelde me ineens doodongelukkig.

Schuin kijk ik naar het schilderij dat midden in de ruimte staat: het idee dat Arjo er dagelijks met zijn koude vissenogen naar zou kunnen kijken heeft me doen besluiten het te houden. Anja, wat is het toch wat ik voel? Ik ben betoverd door een getrouwde vrouw, die tweemaal zo oud is als ik en in verwachting van de derde. Anja, de vrouw met haar kleine handen, met haar vermoeide gezicht en haar lieve voeten die zo nonchalant in haar slippers steken. Anja, de vrouw met de dode echtgenoot, de vrouw die ik moet vergeten. Dat heb ik haar beloofd. Maar er is geen moment dat ze niet in mijn gedachten is.

Ik weet dat ze thuis is en probeer me voor te stellen in welk gedeelte van het huis ze zich bevindt. Wat ze aan het doen is, wat ze aan heeft, waar ze aan denkt. Ik kijk naar de dode vis in haar hand en ik word overweldigd door een immens gevoel van eenzaamheid. Ik moet haar troosten, haar redden van haar leven, van haar man die alleen maar aan zichzelf denkt. Er moet toch een manier zijn om met haar alleen te zijn.

Gisterenavond bij het buitenzetten van de vuilniszakken zag ik haar. Na twee weken zelfgeïnitieerde gevangenschap vond ik uiteindelijk de kracht op te staan. Blijven liggen en doodgaan was geen optie, de kans Anja weer te ontmoeten werd er alleen maar kleiner door. De hoopvolle gedachte dat ze net als Julia naast me zou komen liggen om me te vergezellen op mijn reis had ik inmiddels laten varen. Dus heb ik me gedoucht en geschoren, ik had een baard als een talibanstrijder, en me met een verrekijker voor het raam in de woonkamer geposteerd. Twee uur lang heb ik achter het raam staan wachten totdat eindelijk de voordeur aan de overkant openging.

Het is halfeen 's nachts. Anja komt naar buiten. Geluidloos als een hyena open ik de voordeur en verschuil me in de portiek. Als een schichtig konijntje beweegt ze zich over het tuinpad. Nerveus kijkt ze om zich heen alsof ze gevolgd wordt door iemand en elk moment weer naar binnen kan schieten.

'Anja,' fluister ik. Geschrokken staat ze stil.

'Ben jij dat, Martin?' Ze loopt naar de rand van het trottoir met de vuilniszak in haar hand.

'Martin?'

Ik kom uit de schaduw van de portiek tevoorschijn.

'Anja, ik moet je spreken.'

We staan in een rechte lijn tegenover elkaar.

Ze schudt haar hoofd.

'Het kan niet,' fluistert ze nauwelijks hoorbaar, draait zich om en haast zich naar de voordeur.

De gordijnen aan de overkant zijn gesloten. Vlug steek ik de straat over en loop achter haar aan het tuinpad op.

'Wacht even, Anja.' Ik pak haar pols vast.

'Niet nu, Martin.' Ze draait zich om en voor een moment kijkt ze me aan.

Ik schrik van haar blik. Ze heeft een verdwaasde uitdrukking in haar ogen.

'Wat is er met je gebeurd, Anja? Waarom zien we je niet meer?'

Ze zegt niets en kijkt naar de grond. Ik probeer contact met haar te maken en in haar ogen te kijken. Dan pas zie ik het, haar buik is plat.

'Jezus, wat is er met de baby gebeurd?' Geschrokken kijk ik haar aan. Snikkend rukt ze zich van me los en rent het huis binnen. Met een harde klap valt de voordeur in het slot.

Ik steek een sigaret op en blijf nog een tijdje voor het huis hangen. Achter het steen hoor ik haar zachte gehuil. Eén voor één zie ik de lichten uitgaan en hoor ik hoe de deur op het nachtslot wordt gedraaid. Ik trap mijn sigaret uit en loop naar mijn slaapkamer. Nooit eerder voelde ik me zo machteloos. Het liefst had ik deur ingebeukt en was ik het huis binnen gestormd om haar te redden.

Sinds die avond heb ik haar niet meer gezien. Nauwlettend hou ik het huis aan de overkant in de gaten. Elke dag sta ik wel een paar uur voor het raam, half verscholen achter de luxaflex, starend naar de overkant om een glimp van haar op te vangen. Maar geen teken van leven. Steeds vaker blijven de gordijnen overdag gesloten. Om het gemis te compenseren werk ik aan een schilderij.

Gisteren is Desiree poolshoogte gaan nemen. Ze trof Anja aan in een ongelooflijke puinhoop. Ze liep rond in haar badjas en had een verwilderde blik in haar ogen. Het hele huis had ze overhoop gehaald, alle laatjes en kastjes opengetrokken. Sophietje kroop over de vloer en droeg alleen een luier. Anja zei dat ze een pop uit haar kindertijd zocht en dat ze die niet kon vinden. Ze was ervan overtuigd dat iemand die gestolen had.

Toen Desiree haar vroeg wat er met haar kindje was gebeurd begon ze hysterisch te huilen. Hard en ontroostbaar met lange uithalen. Later hoorde ik haar schreeuwen.

Desiree heeft Arjo weggeroepen uit zijn praktijk maar

toen Anja hem binnen zag komen heeft ze een woedeaanval gekregen. Ze heeft hem van alles naar het zijn hoofd gegooid en de hele wijk bij elkaar gegild.

'Moordenaar, moordenaar,' bleef ze maar gillen.

Omdat ze niet meer te kalmeren was heeft hij haar platgespoten. Het heeft gewerkt, ze schijnt nog steeds te slapen. Sophietje woont tijdelijk bij ons.

Rosa

Vannacht was ik in paniek. Ik kon Joost niet vinden. Drie uur lang heb ik op hem gewacht. Pas toen het licht begon te worden kwam hij uit de struiken tevoorschijn. Hij zag er vermoeid en verward uit. Toen ik hem vroeg waar hij al die tijd had gezeten antwoordde hij dat hij de hele nacht bij Ziggy was geweest.

Ziggy is een Surinaamse jongen van negentien die vanaf zijn jeugd is misbruikt.

Drie jaar geleden leerde ik hem kennen. Hij is licht psychotisch en zwerft, hij ziet verschijningen en de beelden worden steeds sterker.

Ik maak me ongerust over hem, hij is mooi en jong en te makkelijk om te praten. De oudere homo's die het park bezoeken maken daar misbruik van. Ze bieden hem een slaapplek, eten en een nieuwe Replay-trui en vervolgens misbruiken ze hem. Ik kan er wel om janken. Er is niets wat ik voor hem kan doen, alleen maar luisteren.

De instanties doen niets. Hij moet zichzelf eerst verwonden of een ander in gevaar brengen voordat ze kunnen ingrijpen. Ik heb geprobeerd om hem bij me in huis te krijgen maar hij kan niet op één plek blijven, hij is te onrustig. De stemmen jagen hem op, vertellen hem dat hij weer weg moet, net op een moment dat ik hem tot rust heb gekregen. Dan begint het gelazer. Het is alsof ik voortdurend in gevecht ben met een duivel. Alsof hij achterna wordt gezeten.

Ik heb geprobeerd zijn familie te achterhalen maar ze willen niets met hem te maken hebben. Omdat hij de broer van zijn vader heeft beschuldigd van misbruik. Arme Ziggy.

Joost zegt niet veel als hij naast me op het bankje aan het water gaat zitten. Zijn stilzwijgen bevestigt mijn vermoeden, er is iets met Ziggy gebeurd. Ik schenk de wijn die is overgebleven in een beker en geef die aan Joost. Pas na tien minuten begint hij te praten.

'Ze hebben Ziggy in elkaar geslagen, een groepje jongeren. En ik was te laat, Rosa, ik kon niets doen. Ze renden weg toen ze me zagen maar toen was het al gebeurd, ik hoorde hem schreeuwen. Hij was er ernstig aan toe, ze hebben tegen zijn hoofd geschopt, hij zat helemaal onder het bloed. En het ergste was', toen brak zijn stem, 'ze hebben er een video-opname van gemaakt.'

Joost laat zijn hoofd tegen mijn schouder zakken.

'De wereld is ziek, Rosa. En ik ben moe.'

Een gigantische angst komt in me op. Joost is mijn enige vriend, hij mag niet opgeven. Nog niet. Ik heb Joost zo vreselijk hard nodig.

Zo zitten we nog een tijdje naast elkaar en kijken naar de opkomende zon die langzaam boven de bomen tevoorschijn klimt en ons hult in een warme goudgele deken.

Martin

Een licht geritsel heeft me gewekt. Ik lig op de garagevloer onder mijn werktafel met het penseel nog in mijn hand. Steeds vaker verlies ik mezelf in dagdromen, waarbij de wereld om mij heen vervaagt en de minuten, de uren en dagen onbestemd in het niets verdwijnen. Mijn oog valt op een klein briefje dat klem zit onder de deur van het atelier. Ik hoor hoe lichte voetstappen vluchtig verdwijnen in de richting van de straatkant. Ik vouw het verfrommelde papiertje open en lees:

Ik moet je spreken!
Vanmiddag twee uur,
dezelfde plek als toen.
A

Ze is laat. Ik sta onder een boom naast de parkeerplek waar we voor het eerst de liefde bedreven. Het is herfst nu. Het is koud en nat en de bomen staan er triest en verloren bij. Ik ril en mijn gedachten gaan terug naar de zomer. Mijn ogen zwerven door het gras en vinden de plek aan de waterkant. Daar lagen we, in het gras tussen de boterbloemen en madeliefjes. Ons liefdesnestje van toen is veranderd in een grijze bemodderde kuil. Langzaam tikken de minuten voorbij. Het begint te regenen. Ik sta te blauwbekken in mijn trui en zie hoe zwartgrijze donderwolken zich samenballen in de lucht. Ze zou toch wel komen?

Na twintig minuten komt ze aanrijden, als een zilverkleurige vogel glijdt haar Mercedes de parkeerplaats op. Ik ben nu doornat en heb het ijskoud.

'Kom, schiet op. We moeten waarschijnlijk dezelfde kant op,' schreeuwt ze terwijl ze het portier voor me openhoudt. Een bliksemschicht doorklieft de lucht en verlicht voor een moment haar gezicht achter het glas. Een krakende donderslag. Ik ren naar haar toe, ik kan niet anders. Een warm gevoel doorstroomt me. Anja, lieve Anja.

Ze heeft nog steeds die typische blik in haar ogen maar haar gezicht staat zachter en ze lacht weer. Nachtenlang lag ik wakker, probeerde me voor te stellen hoe het zou zijn weer bij haar te zijn, haar mond te proeven, haar overal aan te raken, haar opnieuw te bezitten.

Voor een moment wens ik dat het altijd zo zal blijven, voor eeuwig rondrijdend in haar auto, het verleden en de wereld om ons heen vergetend, voor altijd bij haar zijn. In een opwelling streel ik haar kleine oor. Ze giechelt.

'Dat kriebelt.'

'Jij geeft me de kriebels.' Het ontvalt me.

'Er is veel gebeurd, Martin. Kom, we nemen een hotel.'

Als we de hotelkamer binnen komen klampen we ons aan elkaar vast als twee kleine bange kinderen.

'Je rilt helemaal,' zegt ze.

'Je liet me wachten,' zeg ik zacht.

'Kom,' zegt ze, pakt mijn hand en trekt me mee naar de badkamer.

'We gaan samen onder de douche, dan krijg je het vanzelf weer warm.'

Ik voel me ineens vreselijk verlegen als ze zonder gêne al haar kleren van zich af gooit terwijl ze verlangend in mijn ogen kijkt.

'Kom,' zegt ze weer.

Als we onder de douche staan kijkt ze me met haar lichtgevende ogen verloren aan.

'Ik heb het de laatste tijd vaak zo vreselijk koud,' zegt ze met een kinderstemmetje. Heel dicht trek ik haar naakte lichaam tegen me aan. Lang staan we daar, onbeweeglijk, terwijl het hete water over onze afgekoelde lichamen stroomt.

Ik sta achter Anja voor de spiegel en droog haar rug af. Ik leg mijn kin op haar schouder en kijk naar onze gezichten in de spiegel. Het is alsof het verlangen naar elkaar onze leeftijden dichter bij elkaar heeft gebracht. Alsof ik ouder ben nu ik bij haar ben. Of zij lijkt jonger.

Ik bijt in haar smalle schouder en maak een grommend geluid. Anja giechelt. Mijn handen glijden via haar buik omhoog en omvatten haar zachte borsten. Een hete geile vlam slingert zich om ons heen. Ik duw mijn harde geslacht tussen haar ronde billen en neem haar staand tegen de wastafel. Als ze klaarkomt kijkt ze me via de spiegel in mijn ogen. Een dierlijk geluid ontsnapt me. Mijn god, wat is ze mooi.

'Ik ben ziek, Martin, ik ga een tijdje weg.' Ze draagt een te grote badjas van het hotel en ligt opgekruld naast me als een verregende zwerfkat. Haar ogen zijn gesloten en haar linkerooglid trilt ongecontroleerd.

'Niets doen, mezelf terugvinden, wit gestreken lakens, de koele hand van een zuster, kinderboeken lezen, onder de linden zitten wegdromen.' Het idee Anja te moeten verliezen maakt me bang. Ik streel het natte haar en kus haar ogen.

'Ik zal je opzoeken, elke dag, dat beloof ik je.'

'Dat gaat niet. Ik ga naar een plek waar je niet thuishoort. Ik moet mijn leven op een rijtje zien te krijgen en jij begint net. Vergeet mij en ga door met je leven.'

'Dat kan ik niet, zonder jou is mijn leven niets waard.'

'Ga studeren, zoek iemand die bij je past. Iemand van je eigen leeftijd.'

'Ik wil geen ander. Zonder jou kan ik niet leven. Als ik je niet meer kan zien pleeg ik zelfmoord.'

'Schilder me als je me mist.'

'Dan zou er geen moment zijn dat ik geen penseel in mijn handen zou houden.' Ze glimlacht even.

'Dat is goed. Word een briljante kunstenaar.'

Een gevoel van wanhoop bevangt me.

'Ik zal op je wachten. Zonder jou ben ik niets.'

'Ga op zoek naar je moeder, Martin, probeer haar te vinden. Wil je me dat beloven?'

❖

We hebben zojuist afscheid van elkaar genomen. Ik sta met Sophietje op mijn arm voor het raam. Het was een raar afscheid. Arjo keek toevallig de andere kant op en Desiree had weer die typische 'ik weet alles'-uitdrukking in haar ogen. In een onbewaakt moment trok ik haar tegen me aan en beet vluchtig in haar oorlel.

'Ik wacht toch op je,' kon ik niet nalaten in haar kleine oor te fluisteren.

'Niet doen,' fluisterde ze terug en maakte zich vlug los uit mijn armen. Ze tilde Sophietje heel hoog in de lucht, produceerde een gemaakt vrolijk geluid en drukte het kleine meisje toen heel stevig tegen zich aan. Zonder woorden nam ze afscheid van haar. Daarna gaf ze het meisje aan mij.

'Passen jullie goed op haar?' vroeg ze door haar tranen heen.

'Pas jij goed op jezelf,' mengde Desiree zich in het gesprek en sloeg een arm om Anja heen.

'Ik ga vast naar binnen,' zei ik en draaide me om.

'Dag, Martin, word een groot kunstenaar.'

Ik wilde haar nog iets zeggen maar het ging niet, mijn

stembanden hadden het begeven.

En nu sta ik voor het raam met haar kind in mijn armen en kijk hoe ze uit mijn leven wordt gerukt. Sophietje drukt haar kleine warme hand tegen haar mond en strekt haar armpje uit naar het raam.

'Mama kusje geven,' brabbelt ze. Mama kusje geven? Ineens wordt het me allemaal te veel: de Bentley voor de deur, Desiree die Anja omhelst, Anja die amper reageert, Arjo die toetert dat ze op moet schieten. De hele godvergeten klotesituatie. Mijn hart stort ineen: Anja, mama, wat heb ik je vreselijk gemist. En in dat moment breidt de leegte binnen in mij zich uit naar de wereld om mij heen. Ik sta voor een afgrond, kijk in een gapende leegte en vraag God, als bewijs van Zijn bestaan, mij een duwtje te geven.

Rosa

Luciano ligt op zijn rug op bed met zijn ogen gesloten. Ik sta in de deuropening van de zolderkamer met een brandende kaars in mijn hand en kijk naar hem. Hij is in slaap gevallen. Op mijn tenen sluip ik dichterbij en ga op mijn knieën voor het bed zitten. Bij het licht van de brandende kaars bestudeer ik hem. De lange zachte wimpers, de scherpe kaaklijn en de dominante kin die zo trots naar voren steekt. Zijn zwarte haren glanzen paarsblauw door het maanlicht dat door het zolderraam naar binnen schijnt.

Zijn bijna kinderlijke schoonheid ergert me soms. Het geeft hem iets dominants, iets onoverwinnelijks, iets waar ik geen vat op heb. Het haalt een woede in me omhoog die ik niet begrijp. Dan heb ik zin hem te slaan of iets ergers. Tegelijkertijd ben ik vaak bang dat mijn hart uiteen spat, zo veel liefde voel ik voor hem.

Het is alsof mijn gedachten hem hebben gewekt.

'Dag, prinses, kijk je uit met dat vuur?' mompelt hij zonder zijn ogen te openen.

Ik zet de kaars voor het raam, kleed me uit en ga naast hem liggen. Mijn amulet hou ik om. Ziggy gaf hem mij cadeau: het beschermt me tegen de anderen, tegen het kwaad in de wereld. Het is het oog van Horus, de zoon van Isis en Osiris, dat het boze oog wegkijkt. Hij had hem beter zelf kunnen houden.

'Ik ben geen prinses, ik ben een heks.'

Hij opent een oog en kijkt naar me.

'Toch lijk je meer op een prinses.'

'Ogen dicht. Je mag niet naar me kijken.' Met een hand

bedek ik zijn ogen en mijn andere hand laat ik naar beneden dwalen. Met mijn nagel kras onze initialen op zijn onderbuik, net iets te hard. Een vage glimlach glijdt langs zijn mondhoek en ik voel zijn opwinding. Ik raak hem niet aan, nog niet. Het geeft me een gevoel van macht.

'Niet bewegen.'

'Ik bewoog niet,' mompelt hij.

'Sst… niet praten,' fluister ik in zijn oor. 'Praten is ook verboden.'

'Je mag helemaal niets doen, alleen stil liggen. Anders bind ik je vast.'

Ik laat een dwarrelregen van kusjes op zijn lichaam neerdalen, steeds lager beweeg ik mijn mond, mijn tong.

Hij kreunt.

'Sst… geen geluid, anders straf ik je.'

'Heks,' zegt hij zacht.

'Je hebt erom gevraagd.'

Luciano ligt naast me met zijn polsen vastgebonden aan het antieke hemelbed. Zijn lichaam glanst van het zweet en uit zijn ogen straalt zwart vuur. Ik steek een sigaret voor hem op en plaats die tussen zijn lippen. Dan maak ik het touw los en kus zijn handen. Enigszins bezorgd kijk ik naar de striemen rond zijn polsen. Hij wilde het zelf maar ik vraag me af of ik dit keer te ver ben gegaan. Hij heeft nog niets gezegd.

'Waar denk je aan?'

'Ik mocht toch niet praten.' Luciano opent een oog en sluit dat weer.

'Kinderachtig.'

'Aan jou, aan ons. Aan wat je met me doet.'

'En wat doe ik met jou?'

'Je bindt me aan je.'

'En? Is dat goed of slecht?'

‘Wat denk jij? Is dat goed of slecht?’

‘Ik weet het niet,’ zeg ik en leg mijn hoofd tegen zijn schouder.

Het is even stil. We staren naar het plafond en denken na. Om beurten inhaleren we de rook van de sigaret.

‘Ik denk constant aan je. Je bent voortdurend in mijn gedachten. Ik kan me niet meer concentreren als je er niet bent.’

‘Dat is goed.’

‘Denk je?’

‘Ik denk het. Ik heb hetzelfde bij jou. Zelfs als je bij me bent wil ik dichter bij je zijn.’

‘En als ik er niet ben?’

‘Als je er niet bent? Dan werk ik, ik werk aan de portretten.’

‘En verder?’

‘Verder niets.’

‘Niets?’

‘Nee, niets.’

Aan jou denken, alleen maar aan jou denken, denk ik en kruip diep weg in de holte van zijn schouder.

‘En ’s nachts?’

‘Dan wandel ik door het park.’

‘Is dat niet gevaarlijk?’

‘Nee, voor mij niet, ik ken iedereen.’

‘Mannen of vrouwen?’

‘Vrouwen en mannen.’

Hij sluit zijn ogen weer en zegt niets meer.

‘Hé,’ zeg ik zacht en probeer zijn blik te vangen. Er gaat iets schuil achter zijn woorden. Even kijkt hij op.

‘Ze zeggen dat je een heks bent.’

‘Wie zeggen dat?’

‘De mensen in de buurt, in de flat. Ze hebben ons zien lopen. Ze stellen vragen over ons.’

'En wat denk jij? Ben ik een heks?'

'Je moet het me zeggen als er een ander is, Rosa. Je moet het me zeggen.'

De wending in het gesprek verbaast me. Met een abrupte beweging maakt hij zich van me los en gaat op de rand van het bed zitten, zijn rug demonstratief naar me toe gekeerd.

'Een ander? Er is geen ander.'

'Gisterenavond ben ik bij je aan de deur geweest. Je was niet thuis. Ik heb gebeld maar er werd niet opengedaan.'

'Ik was bij Joost.'

'Wie is Joost?' Hij springt op van het bed, zijn ogen vlammen nu gevaarlijk. In een reflex pak ik een laken en trek het beschermend over me heen.

'Een soort vaderfiguur. Hij leeft in het park.'

'Wat zoek je in het park, Rosa? Wat denk je daar te vinden?'

Ik verstop me diep onder het laken.

Zou het waar zijn? Dat dat de reden is dat ik er steeds weer terugkeer. Dat ik onbewust het idee heb dat ik je daar op een dag zal terugzien op de plek waar ik je ooit heb weggelegd.

Even voel ik een dwingende behoefte mijn geheim met hem te delen maar snel leg ik mijn ontrouwe hart het zwijgen op. Luciano is tenslotte een van de anderen. En wat als zijn liefde omslaat in haat?

'Het is er stil, het geeft me rust, ik kan er nadenken,' mompel ik vanonder het witte koele kleed.

'Het is gevaarlijk, het zijn psychoten, verslaafden, op een dag gaat het mis. Je moet het loslaten, het is je verleden.'

In gedachten zie ik ze voor me: het grijnzende gezicht van Dopy, de halfgekke Ziggy, Agnes met haar rode kinderwagen en de witte haren van Joost.

'Het is mijn familie. Het is mijn thuis.'

'Dit is je thuis, hier bij mij,' zegt hij en met een ruk trekt hij het laken van me af. Zwijgend kijken we elkaar aan.

'Voor hoe lang?'

'Voor altijd.'

'Dat zeg je nu, maar wat als ik oud word, versleten en grijs?'

'Dat hou ik nog meer van je. Jij blijft voor altijd Rosa.'

'Je bent van mij, Rosa, van mij, hoor je? Van niemand anders.'

'Kijk niet zo naar me. Je blik maakt me bang.'

'Dat is liefde, Rosa, de liefde die brandt voor jou.'

Een moment doet hij me denken aan een Italiaanse soapacteur. Een lachkriebel welt op. Met een ingehouden driftig gebaar schopt hij tegen een denkbeeldig 'iets' op de grond. Ik heb zin om heel hard te lachen.

Maar dan denk ik aan de woorden van Joost. Liefde is chaos. Er bestaat geen liefde zonder vernedering, zonder pijn. Liefde is complete verwarring. Zou dit liefde zijn?

'Wat wil je van me hebben met de kerst?' fluisterde hij in het donker.

'Je mag alles vragen.'

'Alles?' vroeg ik.

'Alles,' zei hij.

'Ik moet erover nadenken,' zei ik.

Met onze ruggen tegen elkaar aan vielen we in slaap.

Na een paar dagen heb ik het antwoord gevonden. Luciano zit in bad met een hand voor zijn ogen. Ik zit geknield voor het bad op de koude tegels en was zijn zwarte haren. Een ritueel dat zich wekelijks herhaalt. Het bad voor hem vol laten lopen, zijn haren wassen, hem afdrogen, zijn teennagels knippen.

'En weet je al wat je wilt?' vraagt hij.

'Ik wil dat je iets voor een ander doet.'

'Voor jou?'

'Nee, dat is te makkelijk. Voor iemand die je nog niet kent.'

'En wat wil je dat ik doe? Voor blindengeleidehond spelen, een sigaret geven aan een dakloze, fietsen voor Oezbekistan?' vraagt hij en laat zich achteroverzakken in het dampende water.

'Ik wil dat je iets doet voor de zwervers in het park,' zeg ik als hij weer bovenkomt.

'Voor die gekken? Dat nooit.' Weer verdwijnt hij onder het schuimende oppervlak.

'Je moet een kerstdiner verzorgen en ze bedienen alsof ze koningen zijn,' schreeuw ik tegen het blauwe sop.

'Sorry, ik verstond je niet,' zegt hij als hij weer boven water is. Hij grijnst naar me en blaast een hand schuim in mijn gezicht.

'Kom je er ook in?' probeert hij van onderwerp te veranderen.

'Een verrassingsdiner voor de zwervers in het park op kerstavond,' zeg ik terwijl ik het prikkende sop uit mijn ogen wrijf.

'Je bent echt gek,' zegt hij en streelt met zijn natte hand mijn gezicht.

'Misschien ben ik gek. Maar jij bent egoïstisch. Ik wil dat je voor een moment die kleine wereld die Luciano heet verlaat en je inzet voor een ander.'

Even is het stil.

'Vind je dat? Vind je me egocentrisch?'

Ik besluit eerlijk te zijn.

'Je leeft te klein, je bent alleen bezig met jezelf, je muziek, met mij en het bevredigen van je absurde seksuele verlangens.'

'Wat is daar mis mee?' vraagt hij arrogant.

'Niets. Je bent jong en mooi en hebt het recht om gelukkig en onoverwinnelijk te zijn. Maar je vergeet de wereld om je heen. Je voegt niets toe. Om gelukkig te blijven moet je iets teruggeven aan de wereld.'

Luciano kijkt me aan alsof ik zojuist zijn huis heb platgebrand. Hij stapt uit bad, gaat naakt voor me staan en wacht tot ik hem afdroog.

'Verwende prins,' mompel ik. Ik pak een handdoek van het rek en nogal hardhandig droog ik zijn lichaam af. Luciano zegt niets meer. Hij kijkt me alleen maar aan met die broeierige blik in zijn ogen. Vervolgens spreekt hij een paar dagen lang amper tegen me.

Martin

Het gaat slecht met me. Ik weet niet of ik zelfmoord overweeg maar ik denk er wel veel aan. Ik eet slecht, blow me suf, slaap nauwelijks en luister naar klassieke muziek en opera. In het holst van de nacht spring ik uit bed om gedichten van Rilke te declameren, ervan overtuigd dat Anja dit telepathisch oppikt.

Dagelijks sleep ik me naar de kunstacademie. Maar wat een nieuw begin had moeten worden voelt aan als mijn dood.

Desiree houdt me echter scherp in de gaten. Elke morgen nadat ik net in een halfslaap ben weggedommeld staat ze aan mijn bed om me te wekken voor de lessen aan de academie. Bang dat mijn nieuwe leven mislukt. Ze heeft ergens gelezen dat ik me in een gevarenzone begeef. Zeventien is een kritieke leeftijd voor jongens zoals ik. Het risico dat ik het criminele pad insla, of erger, radicaliseer en me aansluit bij een groep Lonsdale-jongeren of moslimextremisten is nu het grootst.

Maar het enige wat radicaliseert, is mijn liefde voor Anja en de enige criminele gedachte die zich met enige regelmaat aan me opdringt is haar uit de inrichting ontvoeren en de man met de koude ogen in elkaar schoppen. Automatisch volg ik de lessen maar in gedachten ben ik bij haar. Steeds weer dwaal ik af naar de momenten samen.

Onze allereerste ontmoeting, het gesprek aan de keukentafel, haar roze veterschoenen, het autoritje, haar kleren in het gras, haar gezicht in de spiegel toen ze klaarkwam. De manier waarop ze de rook van haar sigaret uitblies, hoe ze ongedurig met haar benen wiebelde. De duizend kleine dingen die haar maakten tot wie ze was. Alles probeer ik me tot in detail te herinneren. Elk woord, iedere zin, alles wat ze tegen me zei en de dingen die ze nog zou zeggen op een dag. Met die zachte toon in haar stem, haar geur... Ik leef op de herinnering, als een zombie afgezonderd van de wereld om me heen. Toch haal ik het eerste trimester moeiteloos.

Omdat alle contact met haar is verboden schrijf ik haar liefdesbrieven. Elke nacht pen ik vier kantjes vol met mijn duistere verheven zielenroerselen. Hoe ondraaglijk het gemis, hoe doods en grauw alles is geworden, hoe vreselijk ik naar haar verlang en alles wat ik met haar zou doen als ze naast me zou liggen.

Ook eindig ik elke brief met het dreigement zelfmoord te plegen als ze niet snel terugkomt. Maar elk woord, iedere zin slaat dood op het papier. Deze liefde leent zich niet voor abstracties, mijn liefde voor Anja wil geleefd worden. De brieven blijven liggen en het gemis wordt iedere dag erger.

❖

Om mijn verstikkende eenzaamheid te verzachten heeft iets wat groter is dan ikzelf Amber in mijn leven gebracht. Amber is een soort reetje, een hinde waarbij elke andere vrouw zich lomp moet voelen. Amber is perfect. Ze kan alles en vliegt door het leven. De personificatie van het mannelijke ideaal. Ze heeft een onafhankelijke aanhankelijkheid. Iedere man, elke jongen van de academie en daarbuiten die in haar reeënogen kijkt wil haar ridder zijn.

Haar zwakte was dus snel gevonden: Amber wil niet aanbeden worden, ze wil vergeten worden. Want hoeveel aandacht ze ook krijgt, diep vanbinnen voelt ze zich minderwaardig. Amber ziet zichzelf als een exotische bloem, waar je vol bewondering naar kunt kijken maar waar je verder niets aan hebt.

Toen ik haar voor het eerst zag was ze met Harold. Harold is ook perfect. Niet alleen aan de buitenkant, (hij lijkt zo weggelopen uit een Hugo Boss-reclame) maar ook vanbinnen.

Maar Amber ziet zichzelf in Harold en Amber wil zichzelf niet zien. Ze is op zoek naar iets wat niet klopt: een scheur, een barst, een beschadiging. Dus liet ze haar hindenhart op mij vallen.

Harold is werkelijk de meest sympathieke jongen die ik ooit heb ontmoet. Zelfs nadat ik Amber had geschaakt. Of beter gezegd: zij mij, bleef hij glimlachen.

De eerste tijd liet ik haar links liggen. Maar hoe ik ook mijn best deed haar te negeren, hoe weinig ik ook investeerde, Amber bleef geïnteresseerd.

In het begin was ik werkelijk onuitstaanbaar. Ik kwam en ging, deed precies waar ik zin in had en hield me aan geen enkele afspraak met haar. Ik werkelijkheid vluchtte ik weg voor haar liefde want van Amber gaan houden betekent Anja verraden. En de pijn van het gemis was soms ondraaglijk. Onbewust heb ik Amber hiervan de schuld gegeven en wachtte ik op het moment dat ze er genoeg van kreeg en vanzelf weer zou vertrekken.

Maar Amber bleef, hoe hufterig ik me ook gedroeg. Ze accepteerde al mijn grilligheden en klaagde nooit. Nooit heeft ze tegen me geschreeuwd of gedreigd me te verlaten.

Zelfs niet toen ik om drie uur 's nachts volledig dronken en stoned bij haar voor de deur stond. Ik voelde me wanhopig die nacht, ik was geil en wilde seks met haar. Toen ze weigerde ben ik zonder een woord te zeggen weggelopen om vervolgens weer weken niets van me te laten horen. Geen enkel verwijt, geen woord ontsnapte haar hartenmondje.

Door haar onvoorwaardelijke liefde voor mij, die ik overigens toeschrijf aan verstandsverbijstering of verveling, heb ik haar een plekje in mijn leven gegeven. Amber mag Anja vervangen en ze weet dit. Ze mag bij me zijn tot het moment dat Anja terug is. En ze is akkoord gegaan. In ruil daarvoor kan zij zich laven aan mijn pech, aan mijn wanhoop, aan mijn liefde voor een ander.

❖

Troosteloos sta ik voor het raam en kijk naar de overkant. Waarschijnlijk onbewust met de gedachte, 'als ik er maar lang genoeg sta keert ze op een dag vanzelf weer terug'. De zinloosheid die ik eerder in mijn leven ervoer is in alle hevigheid teruggekeerd. Alles heeft zijn glans verloren nu ik niet meer bij haar kan zijn.

Het is al laat en er hangt een lage mist in de straat. Het huis aan de overkant staat er verloren en onbewoond bij. Er komt iemand aanfietsen. Mijn hart mist een paar slagen en ik vergeet te ademen. Een vrouw stapt af en zet haar fiets voor het huis op slot. Ik ren naar buiten en verschuil me op de trap van de portiek. Maar bij het licht van de straatlantaarn herken ik haar, het is Anja niet, het is Esther, de oppas. Ze ziet eruit alsof ze is weggeroepen van een feestje. Ze draagt een halflange leren jas, stilettohakken en ze heeft haar lichtbruine krullen opgestoken. Waarschijnlijk had ze andere plannen die avond en heeft ze die op het laatste moment moeten wijzigen. Ik wil weer naar binnen gaan maar dan doet ze iets wat me verbaast. Ze grabbelt in haar tas, haalt er een zakspiegeltje uit en stift vlug haar lippen. Terwijl ze het tuinpad op loopt trekt ze de speld uit haar haren, houdt haar hoofd ondersteboven en schudt haar krullen los. Als ze voor de deur staat, trekt ze nog even iets recht aan de voorkant en dan belt ze aan.

Beneden gaat er een licht branden.

Als de voordeur opengaat worden mijn ogen geopend. Arjo staat in de deuropening, met openhangende peignoir en leesbril op en geeft een indrukwekkende imitatie van Robert Redford ten beste.

Hij kijkt over de brillenglazen, legt dan gemaakt teder zijn handen om haar gezicht en kust de net geverfde mond. Als een gewillig lamsboutje slaat Esther vol overgave haar armen om zijn nek en laat zich door de vis in een korte heftige beweging over de drempel trekken. Hartstochtelijk zoenend verdwijnen ze achter de voordeur. Met zijn voet duwt hij de deur dicht. Ongeloof en walging bekruipen me. Het gevoel dat ik zojuist naar een scène uit een goedkope B-film heb staan kijken kan ik niet meer van me afzetten.

Om mezelf te overtuigen van deze reallifesoap blijf ik nog even staan. De lichten beneden gaan weer uit en even later begint er boven in de slaapkamer een zwak licht te branden. Traag bewegen hun schaduwen achter de vitrages. Dan worden de gordijnen gesloten.

En dan dringt de waarheid tot me door: dit is al veel langer aan de gang en Anja heeft dit al die tijd geweten. Voor een moment voel ik de vernedering en de pijn die ze heeft doorstaan.

Ik beloof mezelf deze troef nooit uit te spelen en nooit meer naar de overkant te kijken. Ik ga het huis binnen en laat de luxaflex zakken.

Rosa

'Goed, ik doe het,' zegt hij een week later ineens vanuit het niets. Hij zit in zijn onderbroek gitaar te spelen in het woongedeelte. Ik sta in de keuken en maak beslag. Ik wil een appeltaart bakken want Ziggy is morgen jarig.

'Mooi,' zeg ik kort. Vanbinnen juich ik maar ik laat niets merken. Luciano kan slecht tegen zijn verlies.

'Maar ik wil een tegenprestatie,' voegt hij er even later aan toe.

Dat had ik niet verwacht.

'Dat is niet nodig,' zeg ik snel, terwijl ik het deeg uit mijn haren probeer te vegen, 'ik doe al genoeg.'

'Voor wie?'

'Voor degenen die het verdienen.'

'Dat telt niet. Dat zijn je vrienden, je familie. Ik wil dat je iets doet voor de anderen.'

'Die hebben mij niet nodig.'

'Wie bepaalt dat?'

'Ik bepaal dat.'

'Je speelt weer voor God, Rosa. Je classificeert, je oordeelt voortdurend over de anderen.'

'Ik oordeel niet, ik ga ze alleen uit de weg.'

'Je verstopt je. De meeste mensen weten niet eens dat je bestaat, laat staan dat je een gave hebt. Wat hou jij verborgen voor de wereld?'

Ik doe alsof ik hem niet heb gehoord en zet de radio wat harder. Hij heeft gelijk maar ik heb geen zin dat toe te geven.

'Ik wil dat je je beeldentuin openstelt.'

'Nee, dat nooit, dat kun je niet van me vragen,' zeg ik en zing hard mee met Jantje Smit.

'Dan komt er geen kerstmaaltijd,' zegt hij en tokkelt verder op zijn gitaar.

Kwaad snij ik de appels in stukjes. Luciano heeft gelijk, al jaren verstop ik mezelf en mijn schilderijen en hou ik de tuin angstvallig gesloten. Bang voor het oordeel, de recensies, de genadeloze kritiek die je in de hel doen belanden.

De dagen erna ben ik het die amper spreekt. Ik denk na. In gedachten ga ik terug in de tijd, mijn eerste expositie. Ik was tweeëntwintig en net afgestudeerd. 'De wereld door de ogen van Rosa,' noemde ik haar. Maar de expositie, eenmaal geopend, veranderde al snel in 'de wereld door de ogen van de anderen'. Vreemde mannen en vrouwen in pakken die dingen zeiden waar ik niets van begreep. In mijn aanwezigheid werd mijn werk vergeleken met allerlei kunststromingen, stijlen en zelfs met gedichten en musici. Ik klapte volledig dicht en voelde me buitenstaander op mijn eigen expositie. Na afloop voelde ik me doodongelukkig.

Geen enkel commentaar had iets toegevoegd aan mijn werk en niemand van de aanwezigen had kunnen omschrijven wat ik vorm had gegeven. Alleen een jong meisje. Ze was met haar moeder meegekomen en stond met een bedenkelijk gezicht voor een serie van vijf doeken. Omdat de aanwezigen zo druk waren met de analyse van mijn werk en de kunstenaar zelf leken te vergeten, liep ik naar het meisje toe en vroeg haar wat ze ervan vond.

Eerst weigerde het meisje te spreken maar toen ze haar verlegenheid had overwonnen zei ze zacht: 'De wereld zoals we hem hebben gemaakt, niet zoals hij zou moeten zijn', en rende hard terug naar haar moeder.

Ik stond perplex: moest ik dit horen uit de mond van een negenjarige? En op dat moment verloor de wereld voorgoed haar onschuld voor mij en deed ik afstand van haar inwoners. In het vervolg zou ik alleen nog maar werken in het geheim.

De jaren die daarop volgden probeerde ik het raam weer dicht te krijgen. Het raam van mijn ziel dat ik op het verkeerde moment had geopend en waar alleen maar stof naar binnen was gewaaid. Ook moest ik zien af te rekenen met die stem in mijn binnenste die me vertelde de dingen te zien zoals ze zijn.

Martin

Ik heb haar gezien, mijn moeder. Ik was die middag op weg naar Amber, vastbesloten mijn leven te beteren en dan in ieder geval mijn afspraken met haar na te komen, toen ik haar zag lopen.

Ze liep te wandelen bij ons in de wijk met een gemuilkorfde pitbull aan de lijn, alsof het allemaal doodgewoon was. Er was geen twijfel over mogelijk dat zij het was. Ze had lange honingkleurige haren, droeg een chique halflange zandkleurige jas en zag er rijk en verwend uit.

Ik vergat Amber en ben achter haar aangelopen, zeker een uur lang. Ze was helemaal uit de stad gekomen.

In het begin had ze niets in de gaten maar op een bepaald moment begon ze te zigzaggen om van me af te komen. Straatje in, straatje uit, ik volgde haar op de voet, bang dat ze voor de tweede maal uit mijn leven zou verdwijnen.

Het werkte op haar zenuwen, ze klemde haar tas stevig onder haar arm en steeds vlugger klikten de hakken van de halfhoge laklaarzen over de stoeptegels. Zonder op of om te kijken viste ze een mobiel uit haar jaszak en begon vanuit het niets een gesprek te voeren. De hoge toon waarop ze sprak en de opvallende stiltes die ze liet vallen bevestigden mijn vermoeden. De lijn was dood, ze deed alsof.

Ze was bang voor me ondanks de kindermoordenaar die naast haar liep. Maar ik voelde geen medelijden met haar, liet me niet afschrikken. Elk kind heeft ten slotte het recht achter zijn bloedeigen moeder aan te lopen. En dat zij het was, daar was geen twijfel over mogelijk. Dit was de vrouw waar ik al die jaren naar op zoek was geweest. Te jong toen ze me kreeg, moest haar geheim verbergen voor haar familie.

Toen we de stad naderden minderde ze vaart en stond abrupt stil voor de etalage van een lingeriewinkel. Ik ging naast haar staan om haar geur op te snuiven. Ze rook heel duur en lekker.

Zo stonden we een tijdje naast elkaar en keken naar de drie etalagepoppen in doorkijkbroekjes die heel geslaagd uit hun ogen keken.

Ik dacht na over hoe ik dit verder aan moest pakken terwijl ik in de tussentijd mijn longen vol liet lopen met haar geur.

'Waarom volg je me?'

Ze had een geaffecteerd stemgeluid, draaide zich een halve slag om en prikte de Chanel-bril tussen haar haren zodat ik in haar gezicht kon kijken. Toen pas begreep ik dat ik een vergissing had begaan. De vrouw die me nogal hautain aankeek was minstens zestig. Het idee dat een vrouw van midden veertig een kind onder een boom legt leek me niet erg waarschijnlijk.

'Sorry, ik zag u aan voor iemand anders,' stamelde ik. 'Iemand die ik lang niet heb gezien, vandaar.' Ik voelde me enigszins geïntimideerd door haar verschijning. 'Daarbij zijn dit', ik wees op het gekooide monster naast haar, 'mijn lievelingshonden. Daarom ben ik u gevolgd. Sorry, voor het ongemak.'

Het was even stil. De vrouw keek me wat meelijwekkend aan en trok een wenkbrauw op.

'Misschien kan ik u iets te drinken aanbieden,' hakkelde ik erachteraan.

Tot mijn verbazing accepteerde ze mijn aanbod.

'Graag,' zei ze. 'Ik heet Louisa, en dit is Brutus.' Ze klopte de kindervriend even op de rug. Hijgend ging het beest naast haar zitten waardoor twee knotsen van ballen zichtbaar werden.

'En met wie hebben wij het genoegen?'

'Martin, Martin Herder,' zei ik om een beetje in de hondensfeer te blijven.

We dronken thee met limoen boven in Maison de Bonneterie.

'Vertel nu eens echt... waarom ben je achter me aangelopen?' vroeg ze terwijl ze met een klein gouden aanstekertje een dun sierlijk sigaartje bevuurde.

En of het aan de dag lag, of haar leeftijd of aan het simpele feit het gevoel te hebben op Anja na toch niets meer te kunnen verliezen, ik stortte mijn hart bij haar uit. Alles vertelde ik haar, mijn hele levensverhaal kieperde ik over haar heen.

Over mijn kinderjaren, de zes pleeggezinnen, over Arie en Desiree, de kunstacademie, Amber en Harold, mijn obsessie voor Anja Rozenblad en mijn zelfmoordgedachten. Ik praatte en praatte maar. Aan het eind van mijn relaas viel het even stil en keek ze me peinzend aan.

'Vind je het goed als ik je verhaal gebruik? Ik schrijf romans.'

'Doe maar,' zei ik volledig overdonderd, 'dan gebeurt er toch nog iets positiefs met al dat ongeluk.'

Ze stond op, vroeg om de rekening en wandelde, zonder nog op of om te kijken, het café uit. Alleen Brutus knipoogde nog even geniepig naar me voordat ze tussen de kledingrekken met bontmantels verdwenen.

Rosa

Het is kerstavond. De tafel is gedekt en Luciano heeft de open haard aangestoken die in geen jaren heeft gebrand. Alles schittert en fonkelt. Vanaf de voortuin tot aan de overloop branden witte kaarsen. Die heeft Joost meegenomen.

'Wit is een mooie kleur,' zei hij.

'Waarom?' vroeg ik. 'Waarom vind je wit een mooie kleur?'

'Omdat het alle andere kleuren uitsluit, alle onrust en verwarring. Wit is helder en stil.' Ik was het niet met hem eens. Ik hou meer van zwart.

'Wit sluit uit. Zwart omarmt. Het absorbeert alle kleur, alle verdriet en pijn. Zoals een donkere nacht die alles in zich opneemt, niets en niemand uitsluit. Dan weet ik dat alles één is. Dat niemand wordt vergeten.'

Fluitend komt hij de trap af lopen. Hij heeft zich geschoren en gedoucht en draagt een driedelig tweedehands pak waarvan de broek te kort is en het vestje te krap. Hij ziet er prachtig uit. Zijn witte haar is gewassen en strak achterover gekamd. Achter zijn linkeroor heeft hij een hulstblad gestoken.

Er hangt een heilig waas om hem heen en de zilvergrijze ogen geven licht vandaag. Als hij beneden is maakt hij een kleine buiging voor me en nodigt me uit voor een dans. We zwieren door de kamer, een zelfverzonnen dans. De anderen zullen zo wel komen.

Ik kijk even naar Luciano. Hij staat met een schort voor in de keuken en waakt over de twee hanen in de oven.

Dopy heeft ze gebracht vannacht. Dopy is muzikant, aan drugs en alcohol verslaafd en komt uit Roemenië. Hij slaapt regelmatig bij mij in de voortuin.

Om drie uur 's nachts stond hij voor de deur. Luciano lag boven te slapen en ik zat in mijn beeldentuin wat te mijmeren bij het licht van de volle maan toen de deurbel ging.

Knetterstoned stond hij in mijn voortuin en droeg een kartonnen doos waar een vreselijk kabaal uit kwam.

'Voor jou, Rosa,' zei hij plechtig met dubbele tong toen hij me de bewegende, tokkende doos overhandigde, 'voor de kerstmaaltijd.'

Toen ik vroeg waar hij ze vandaan had gehaald, wilde hij geen antwoord geven. Ik vermoed dat hij ze gestolen heeft uit de kinderboerderij hier verderop.

Vol trots liet hij de hanen uit de doos. Een bleef verlamd zitten, de ander rende gillend het huis in om vervolgens door de openstaande serredeur naar buiten te verdwijnen.

Er volgde een wilde achtervolging door mijn beeldentuin van minstens een halfuur waarbij de hallucinerende Dopy maar bleef herhalen dat hij ze alle zeven te pakken zou krijgen. De achtervolging eindigde weer in de keuken, waar hij de beide heren eigenhandig de nek omdraaide. En inderdaad, ze liepen door. Met gebroken nekken renden ze op me af alsof ze om hulp kwamen vragen en ploften toen één voor één dood neer voor mijn voeten op de keukenvloer. Ik werd misselijk maar zei niets. Ik wilde hem zijn succes niet afpakken. Er was al zoveel mislukt in zijn leven. Het zou aanvoelen als het straffen van een kat die uit dankbaarheid zijn prooi aan de voeten van zijn baasje legt. Ik kon het gewoonweg niet.

Dus sneed ik met een vlijmscherp mes de koppen eraf, dompelde de nog warme dieren in een bak heet water en trok de veren los. Ik sneed de ingewanden eruit, rolde de beesten in plastic en stopte ze in het vriesvak. Luciano die door het lawaai wakker was geworden stond boven aan de trap en keek naar me.

'Zie je nou wel dat je een heks bent,' zei hij.

En nu staat hij met een bezorgd gezicht en een vleesvork in zijn hand voor het ovendeurtje en prikt om de dertig seconden in de hanen om te controleren of ze al gaar zijn.

'Ik geloof dat de gasten zijn gearriveerd,' roept hij vanuit de keuken met een licht sarcastische ondertoon in zijn stem. Verheugd haast ik me naar het keukenraam en kijk naar buiten. In de voortuin staan Matthew, Dopy, Ziggy en Agnes. Ze hebben zich uitgedost in doeken en kijken verwachtingsvol door het raam naar binnen. Ik haast me naar de voordeur om de levende kerststal binnen te laten.

Agnes heeft een paarsblauwe doek om haar hoofd geslagen en ziet eruit als een afgeleefde versie van de heilige maagd. Haar verwarde grijze haren steken van alle kanten onder de doek vandaan en omlijsten haar verkreukelde gezicht. In haar armen wiegt ze een bundeltje kleren en ze glimlacht ingeleefd. Haar rode kinderwagen doet dienst als kribbe.

Ooit was ze een bekend operazangeres: een sopraan met een enorm bereik, maar door haar alcoholverslaving heeft ze haar halve leven in een afkickkliniek doorgebracht. Nu leidt ze een zwervend bestaan, samen met haar drie hondjes Whisky, Sherry en Port die ze voortduwt in de rode kinderwagen. Ze drinkt nog steeds, de flessen goedkope bessenjenever bewaart ze onder het matrasje waar de hondjes op liggen, zij bewaken de buit.

Matthew en Dopy verbeelden óf de herders, óf twee van de drie wijzen. Dat is zo op het eerste gezicht niet helemaal duidelijk. Matthew heeft een oude paardendeken om zijn schouders geslagen en draagt een fakkel; een brandende tak afkomstig van de boom in mijn voortuin. Hij staat doodstil met opgeheven hoofd.

Dopy heeft een wollen sjaal om zijn hoofd geknoopt als een soort tulband en grijnst van oor tot oor. Hij is gewikkeld in een geruit tafelkleed waar de vouwen nog in zitten en dat hij waarschijnlijk ergens gestolen heeft. Op zijn rug hangt zijn gitaar.

Ziggy fungeert als kerstengel. Hij staat was afzijdig. Op zijn schouders hangen twee slappe witte plastic zakken die als vleugels dienen. Hij heeft de vreemde, wilde blik weer in zijn ogen en vraagt angstig of ze nog op tijd zijn. Rond de feestdagen zijn de verschijningen bij hem altijd het sterkst.

'Precies op tijd,' mompel ik geroerd en laat het bonte gezelschap binnen.

Als Luciano iets doet, doet hij het goed. Hij heeft die avond een waar feestmaal bereid en bedient de daklozen alsof ze koningen zijn. De twee gebraden hanen – die we sinds hun aanwezigheid in mijn vriezer Luuk en Goofy zijn gaan noemen – smaken verrukkelijk. Ze zijn overgoten met een warme saus van noten, tijm en honing en gevuld met abrikozen en roomkaas.

Ik kijk naar de glunderende gezichten, het respect dat de zwervers genieten doet aanspraak op iets groters dan hun armetierige bestaan. De meesten blijken verrassende tafelmanieren te bezitten en zelfs de schreeuwerige Matthew en Dopy gedragen zich alsof ze op staatsbezoek zijn. Het bevestigt mijn vermoeden. De zwervers reageren in respons op de manier waarop ze behandeld worden en er tegen hen wordt aangekeken.

Luciano heeft zijn taak serieus opgevat. Hij schenkt wijn, bedient de muziek, zorgt ervoor dat de gerechten niet afkoelen en rent rond om het iedereen zo goed mogelijk naar de zin te maken. Als dessert serveert hij een huisgemaakte vanillebavarois met lauwwarme bosbessen en bramen. Niets lijkt hem te veel deze avond. Maar het zelfvoldane lachje dat hij me toewerpt zegt me genoeg. Hij wacht op de tegenprestatie, die ik binnen niet al te lange tijd zal moeten leveren.

Na het diner vechten we om een plekje voor de open haard. Dopy stemt zijn gitaar met kromgetrokken klankkast, in hoeverre dit nog mogelijk is, en Matthew tovert een fles cognac onder zijn kleding vandaan. Het is een VSOP en waarschijnlijk die middag gestolen in de slijterij op de hoek terwijl Dopy op de uitkijk stond. Joost zit naast Agnes en slaat wat onhandig een arm om haar schouder. Ze bloost en duikt verlegen weg in haar paarsblauwe doek. Sinds ze de eenzame gestalte in de lange grijze jas in het park zag zitten, heeft ze hem in haar hart gesloten. Hij is haar grote liefde en hij weet dit.

Ze hebben nooit uiting gegeven aan deze liefde, maar vaak scharrelen ze samen wat rond in het park. Als je ze afzonderlijk tegenkomt is de een vaak op zoek naar de ander. Heimelijk wacht ik op het moment dat Joost zijn liefde voor haar bekent maar hij kan het niet, zegt hij. Hij heeft al te vaak afscheid moeten nemen. Van haar gaan houden met het risico haar op een dag te verliezen, zou zijn dood betekenen, zegt hij. Ik denk dat het waar is.

Even gebeurt er niets. Alleen het knisperende geluid van de dansende vlammetjes in de open haard is hoorbaar. Dan pingelt Dopy zacht de melodielijn van een kerstliedje dat me vaag bekend voorkomt. Luciano valt hem bij. Ziggy schuift wat dichter naar me toe en glundert als een kind. De teksten, half vergeten, improviseren we. De fles cognac gaat van hand tot hand terwijl we ons de woorden en zinnen uit onze kindertijd proberen te herinneren.

Het idee om de nachtmis bij te wonen komt van Joost. Hij wil die avond in het huis van God aanwezig zijn om Hem een bijzondere gunst te vragen. Een gebed voor al de daklozen op de aarde.

Matthew vindt het wel een cool plan en als een echt gezin maken we ons klaar voor de kerk. Ik kam en vlecht de verwilderde bos haren van Agnes en doe haar een halsketting om met rode kralen. Matthew leent een stropdas met paarse fietswielen van Joost. Alleen Dopy wil niet mee. Hij heeft dit jaar een record aan diefstallen gepleegd en is bang herkend te worden door de winkeliers uit de buurt.

'Dan moet je juist nu gaan, met kerst heeft God meestal een goede bui,' beweert Ziggy. Zijn eenvoudige manier van denken, zijn kinderlijke geloof verbaast en ontroert me ook nu weer. We besluiten Dopy te vermommen. Hij leent een basketbalpet en een jas van Luciano en daar gaan we, de koude nacht in. Op straat worden we nagekeken. Ook al zien we er voor ons doen op ons paasbest uit, je kunt zien dat we anders zijn.

De kerk is versierd met witte en paarse bloemen en zit stampvol met de anderen. De zware wierooklucht die uit de slingerende zilveren branders de kerk in wordt gezwiept, verspreidt zich als een lage dikke mist en werkt bedwelmend.

Ook al behoor ik tot het uitstervende soort – ik ben een gnostica en hang de leer van de Nag Hammadi-geschriften aan – ik hou van de kerk.

Van het ritueel, de bidprentjes, de harde houten bankjes, de heilige hostie, het zoetzure nipje wijn uit de zilveren beker, het knielen en het bidden erna. En na afloop het stenen wijwaterbakje waar je je vingers in kunt dopen waarna je gezegend en gesterkt de wereld buiten weer betreedt.

Van het eenvoudige weten, dit is goed en dat niet. Simpele regels die je kunt naleven of overtreden. Dat is het spel, dat is de keuze.

En mocht je de regels overtreden, dan is er de zonde, die

prachtige zonde die je mens maakt, die je verbindt met alle anderen en die je kunt schoonwassen als een licht bezweet lichaam.

Ook al weet ik dat ieder mens in oorsprong goddelijk is, en God zich niet buiten maar binnen ons bevindt, wat ons zelf verantwoordelijk maakt, het geeft me rust te geloven dat leven zo simpel is.

We branden waxinelichtjes bij het beeld van Maria en we doen in stilte ons speciale verzoek van die avond. Uit mijn ooghoeken zie ik hoe Joost ongezien een briefje van vijftig euro door de smalle gleuf van het metalen kistje probeert te duwen.

Ik moet glimlachen, Joost is schatrijk en heeft zijn geheim al die jaren goed verborgen weten te houden voor de anderen. Ondanks zijn fortuin, leeft hij als een bedelaar uit solidariteit met de andere daklozen. Als een avatar die de verlichting zelf al heeft bereikt maar nog een keer naar de aarde is afgedaald om de anderen te helpen de verlichting te bereiken. Zijn fortuin bewaart hij in een roestvrijstalen kist op een plek die zelfs ik niet ken. Wat er met dat geld moet gebeuren is een raadsel voor me. De sleutel draagt hij aan een koord om zijn nek onder zijn kleren.

Achter in de kerk blijven we staan, vlak bij de deur in het halfduister verborgen. Zo kunnen we ongezien de mis meemaken, onopgemerkt door de anderen.

Met devote gezichten, gladgestreken kleren en gekamde haren zitten ze in de kerkbanken. Ze stralen een overweldigende macht uit vanavond.

Maar helaas blijven we niet onopgemerkt. De pastoor krijgt ons in de gaten. Na een vriendelijk welkomstwoord waarbij hij dankbaarheid veinst dat we in zulk een groten getale aanwezig zijn die avond, zwerft zijn blik langs de afgeladen kerkbanken en laat hij zijn oog op ons vallen.

'Die mensen die daar achterin bij de deur staan? Willen jullie naar voren komen? Hier zijn nog een paar zitplaatsen,' galmt het luid door de microfoon die niet goed is afgesteld.

Dopy wil er direct vandoor maar Ziggy geeft de doorslag.

'Zie je wel, dat hij in een goede bui is,' fluistert hij opgewonden als een kind.

En daar gaan we. Joost fier voorop met opgeheven hoofd. Hij heeft Agnes bij de arm genomen die zich heeft verstopt in haar paarsblauwe doek. Dopy en Matthew schuifelen er met gebogen hoofden achteraan, ze durven niet op of om te kijken. Daarna volgt Ziggy, vriendelijk lachend en zwaaiend naar de anderen die met afstandelijke gezichten in de kerkbanken zitten. Luciano en ik lopen hand in hand en sluiten de rij. Het is muisstil als we in een kleine optocht naar voren lopen.

Ik probeer niet te letten op de nieuwsgierige blikken en hou Luciano's hand stevig vast. Hun gedachten probeer ik weg te denken, deze avond zal ik niet laten verpesten door het oordeel van de anderen. Dit zijn Gods kinderen en ze hebben het recht hier te zijn.

Eenmaal aangekomen bij het altaar wordt bij gebrek aan zitplaatsen besloten dat we op de grond plaats kunnen nemen. Een kraai in een zwart pak, met een wat zuur gezicht reikt ons een paar bidkussentjes aan. Opgelucht dat er een eind is gekomen aan deze martelgang nemen we plaats voor Gods voeten.

De preek gaat over de vreemdeling, de asielzoeker, diegene die aan de poort staat te wachten binnengelaten te worden. De mensen luisteren beleefd, afstandelijk met onbewogen gezichten. Het interesseert ze niet echt en morgen zijn ze het alweer vergeten. Toch is het een mooi samenzijn. Iedereen, gedoopt of niet, wordt uitgenodigd de heilige hostie te halen. Aan het eind van de mis klinken de eerste akkoorden van het

'Ave Maria'. Onverwacht staat Agnes op. Ze laat de blauwe omslagdoek zakken en met een kristalzuivere sopraan begint ze te zingen. Haar aanwezigheid vult de gehele ruimte en voor een moment zie ik een glimp van de vrouw die ze ooit moet zijn geweest. Als de eerste tonen de ruimte vullen breekt mijn glazen hart. Het klinkt zo stil, zo breekbaar, zo oprecht. Zelfs de anderen lijken voor een moment geroerd. Nog nooit was een nacht zo heilig, zo zuiver, zo zwart.

Martin

Ze is magerder geworden. Haar tengere postuur steekt breekbaar af tegen het grote grijze gebouw. Het is nieuwjaarsdag, de lucht is ijzig en de zon schijnt fel.

'Kijk, daar zit ze, je moeder, achter in de tuin.' De verpleegster in de witte schortjurk spreekt me bemoedigend toe en legt even haar hand op mijn schouder.

'Ze is m'n moeder niet,' zeg ik en met een onwillekeurige beweging schud ik haar hand van mijn schouder. Niet alleen omdat ik haar veronderstelling beledigend vind maar vooral omdat ik verpleegsters in witte jurkjes vreselijk opwindend vind.

'O,' zegt ze met een getuit mondje, 'wie is het dan wel?'

De verpleegster kijkt me een beetje dommig aan.

'Je tante?'

'De overbuurvrouw,' zeg ik naar waarheid om het gesprek zo snel mogelijk weer te beëindigen. Sinds ik als kind zelf in een inrichting heb gezeten ben ik altijd bang gebleven voor gekkenhuizen. Het spookbeeld om als bezoeker voor patiënt te worden aangezien, niet direct de goede antwoorden te kunnen bedenken en steeds meer deuren achter je op slot te horen draaien, heeft me nooit losgelaten.

'Leuk dat je haar even komt bezoeken. Maar niet te lang, hè, ze is nog niet helemaal stabiel.'

'Wie wel?' denk ik.

Mijn mond is droog en mijn handen zijn klam. Langzaam kom ik dichterbij. Ze zit onder de kale lindeboom en kijkt voor zich uit. Ze is gekleed in een lichtgrijze wollen jurk, heeft een plaid om haar schouders geslagen en draagt laarzen van roze konijnenbont.

Als ze opkijkt begin ik te rennen en ik struikel over mijn eigen voeten om bij haar te komen. Ik ga voor Anja op mijn knieën zitten alsof ze een heilige is en kijk in haar lichtgevende ogen. Ze is veranderd, ze is rustiger geworden, ze straalt een immense kracht uit. Ik leg mijn wang op haar knieën en sla mijn armen om haar benen. Diep adem ik haar in.

Gelukkig, ze ruikt nog steeds hetzelfde.

Zacht streelt ze mijn haar en een moment denk ik aan mijn echte moeder.

'Heb je me zo gemist?'

'Het leven was een hel,' zeg ik terwijl ik mezelf herneem en haar koude handen in de mijne neem.

'Het mijne ook,' zegt ze lachend. 'Ze hebben hier praatgroepen,' zegt ze met rollende ogen.

Ik blaas mijn warme adem in haar handen en kijk haar aan. Een elektrische vonk springt over en weer. Mijn handen verdwijnen onder haar jurk en mijn duimen strelen de binnenkant van haar dijen.

'Later, niet doen,' zegt ze met een zucht. 'Het is verboden hier.' Ze kijkt in de richting van het grijze gebouw.

'Maar ik kan je natuurlijk wel even laten zien hoe ik woon,' voegt ze er lachend aan toe.

We lopen we naar het gebouw en in een opwelling sla ik een arm om haar heen. De verpleegster in het jurkje staat ons al op te wachten. Ze kijkt ons nieuwsgierig aan.

'Werd het wat frisjes buiten?'

'Kan ik toestemming krijgen om mijn buurjongen even te laten zien hoe ik hier woon?' Ik schrik van de onderdanige houding van Anja. We lijken verdomme wel twee kinderen die om een snoepje komen vragen.

Nu pas begint er een lampje te branden bij het verpleegstertje die in de aanwezigheid van Anja in één klap al haar charme heeft verloren.

'Je bent toch niet minderjarig, hè?' grapt ze. Ik vind haar humor smakeloos.

'Ik ben achttien,' zeg ik kort.

'O, dan ben je een man,' grapt ze. 'Toch?' gooit ze er nog een schepje bovenop. 'Wachten jullie hier maar even, dan vraag ik het even,' zegt ze met veelbetekenende blik.

De situatie begint nu echt gênant te worden en een golf van woede doorstroomt mijn lijf. Maar ik beheers me, de angst hier nooit meer uit te komen wint het.

Anja staat er wat gelaten bij, staart naar de neuzen van haar laarzen en neuriet een onbekend melodietje. Ze schijnt gewend geraakt aan dit soort onterende situaties. Er wordt een dokter bij gehaald die mij nieuwsgierig aankijkt en een snelle inschatting maakt.

'Eventjes dan, maar de deur moet openblijven.'

Ik sta met mijn rug tegen de deur geleund met gesloten ogen. Ik heb mijn pik in mijn hand en trek me af. Ik denk aan die eerste keer maar dit keer ben ik niet alleen. Anja ligt voor me op het bed met gesloten ogen. Door mijn oogharen begluur ik haar. Ze heeft haar konijnenlaarzen nog aan en haar jurk omhoog geschoven. Haar ene hand is verdwenen onder haar wollen jurk en met haar andere hand omklemt ze een spijl van het ijzeren bed.

Er loopt iemand voorbij op de gang. Ze kijkt ze me aan. Ik kijk weg. Ik probeer een orgasme uit te stellen maar het lukt niet. Het duurt allemaal maar even. Als ze klaarkomt, bijt ze op haar hand en schreeuwt geluidloos.

We zitten naast elkaar op het kleine bed met de blauwe lakens. Ze heeft mijn hand gepakt alsof ik haar kind ben. Ik ben bang voor wat er komen gaat.

'We moeten praten, Martin. Alles gaat veranderen.'

Ik zet me schrap, de vloer beweegt en opent zich. Vlak voor mijn voeten verschijnt een peilloze inktzwarte diepte.

'Arjo en ik gaan scheiden.' Haar woorden dichten het ravijn. Opgelucht kijk ik haar aan en wacht op wat er komen gaat.

'Over een paar weken mag ik hier weg. Ze vinden dat het goed gaat met me. Ik ga niet meer terug naar huis. Sophietje neem ik mee. Martin blijft bij Arjo. Het is beter voor hem, ik heb nooit echt van dat jongetje gehouden. Is dat mogelijk? Een moeder die niet van haar kind houdt?'

Ik denk aan mijn eigen moeder. Niets heeft ze ondernomen.

'Ja, dat is mogelijk.'

En dan stel ik de vraag die al maanden in mijn hart brandt. Ik weet dat het antwoord me kapot kan maken.

'En wij? Wat gebeurt er met ons?' vraag ik met een schorre stem ervan uitgaand dat mijn doodvonnis alsnog elk moment ondertekend kan worden.

Maar dan doet ze iets wat mijn leven verandert.

'Wij,' zegt ze en legt mijn hand op haar buik. 'Wij zijn zwanger. En ik heb besloten het te houden.'

Rosa

Het sneeuwt, de lucht is kraakhelder en de zon schijnt hel. Ik sta voor het keukenraam en gluur door de besneeuwde takken in mijn voortuin naar de witte wereld buiten. De paar maanden met Luciano hebben mij veranderd. Ik leef nu meer overdag en ben nieuwsgierig geworden naar de wereld en de anderen. Dagelijks ga ik even voor het keukenraam staan om een glimp op te vangen van de wereld waarin zij zich voortbewegen.

Soms overweeg ik dingen. Gewone dingen, dagelijkse dingen, zoals een pak melk kopen bij de buurtsuper of domweg een wandelingetje maken. Zo bereid ik me voor op het leven. Want ik heb een plan.

Ik repeteer ingewikkelde woorden zoals *fungibiliteit*, *nimbus* en *recollectie* en probeer ze zo terloops mogelijk door de zinnen heen te vlechten. Ook bedenk ik antwoorden op vragen die me onverwachts gesteld kunnen worden door de anderen.

Dagelijks sta ik minstens een halfuur voor de spiegel om mijn gezichtsspieren te trainen en aan mezelf te wennen. Ik oefen blikken, gebaren en gezichtsuitdrukkingen. Ik oefen niet alleen de gangbare, de dagelijkse maar ook combinaties en gradaties. Zoals *verleidelijk-verlegen*, *charmant-woedend*, *fel-verontwaardigd*, *afstandelijk-beleefd* en *flauw-geïnteresseerd*. Ik ken er nu 123.

Gisteren zag ik Inez en Henkjan vertrekken, het schreeuwende yuppenstel dat tien jaar naast me woonde. Ruziemakend liepen ze het tuinpad af. Ze hebben niet eens de moeite genomen afscheid van me te nemen. Waarom zouden ze ook?

In hun ogen ben ik een heks, een gekkin, die leeft als de wereld slaapt en zich afgeeft met het gespuis van deze wereld.

Ik schrik op uit mijn gemijmer door het geluid van een knallende uitlaat. Een oud klein blauw krakkemikkig autotje komt de straat in glijden. Met spinnende wielen parkeert de bestuurder voor het huis naast me. Snel doe ik een stap achteruit, bang opgemerkt te worden.

Achter het stuur zit een kleine vrouw. Ze heeft een donkerroze gebreide muts op en een grote donkere zonnebril bedekt haar gezicht. Ze zwiept de deur open, stapt uit en duwt met haar heup het portier weer dicht. Ze draagt een spijkerbroek en laarzen van roze konijnenbont. Ze neemt haar bril af, beschermt met een arm haar ogen tegen de felle winterzon en kijkt dan een paar tellen naar het huis voor haar. Dan zet ze de bril weer op, loopt gehaast het tuinpad op en verdwijnt achter de voordeur. Een paar minuten later arriveert de verhuiswagen.

❖

Gisteren is er iemand dood gevonden in het park. Het was de drieëntwintigjarige Susa, een vriendin van Joost. Er blonken tranen in zijn ogen toen hij het me vannacht vertelde. Susa stamt af van de Sinti-zigeuners en werd geboren in een woonwagenkamp in Duitsland. Op vijftienjarige leeftijd werd ze tegen haar wil uitgehuwelijkt aan een Sinto uit een dichtbijgelegen kamp. Toen ze weigerde werd ze door haar familie verstoten en is ze uit het kamp weggevlucht.

Liftend stond ze aan de snelweg, zonder paspoort, zonder bezittingen, zonder afscheid te nemen. Halsoverkop had ze het kamp verlaten, bang voor represailles.

Ze is meegereden met een vrachtwagen naar Nederland

waar ze heeft geprobeerd een burgerbestaan op te bouwen. Het is haar nooit gelukt. Ze kwijnde weg in het nieuwbouwappartement en miste haar familie vreselijk. Door langdurige werkloosheid en geldgebrek raakte ze binnen korte tijd dakloos en begon haar leven op straat.

Zonder identiteit en verblijfplaats zwierf ze rond door de hoofdstad en op een dag dook ze op bij ons in ons park. Toen we voor het eerst met haar kennismaakten was ze erg in de war, ze had eetstoornissen, was ervan overtuigd dat ze achtervolgd werd en liet zich door mannen betalen voor een vluggertje in het park. Soms zat er een 'goeierd' tussen die medelijden met haar had, haar geld gaf voor eten en kleding en haar tijdelijk onderdak bood. In ruil voor nog meer seks.

Joost heeft haar gevonden. Ze had in een waan al haar kleren uitgetrokken en was naakt in het ijskoude water gesprongen. Ze was ervan overtuigd dat er op de bodem van de vijver een sleutel lag, die haar de toegang zou geven tot een gelukkig bestaan. Hoe ironisch. Agnes had haar 's middags al bij de vijver zien staan, turend in het koude water. Maar Susa kon niet zwemmen en de vijver is in het midden wel vijf meter diep.

Haar naakte lichaam dreef bewegingloos in het donkere water. Zonder nadenken is hij de vijver in gestapt en heeft haar onderkoelde lichaam uit het water gevist. Hij heeft nog geprobeerd haar te reanimeren. Maar tevergeefs, ze was al dood, haar hart had het begeven. Hij heeft het aan voelen komen, zei hij, de hele week al was hij onrustig.

Ondanks de kou heb ik de nacht bij Joost in het park doorgebracht. Ik heb een extra deken en een trainingsbroek van Luciano voor hem gehaald en ben naast hem gaan zitten om hem te troosten. Hij heeft de hele nacht in zichzelf zitten praten. Gemompelde woorden, onafgemaakte zinnen. Pas tegen de ochtend viel hij in slaap.

De dagen erna heeft hij op het bankje aan het water gebivakkeerd. Mijn hart brak toen ik hem daar zo zag zitten. Onafgebroken naar de vijver starend, naar de donkere lege plek waar Susa was verdronken. Volledig in zichzelf gekeerd, met wilde haren en wartaal mompelend. Over een wereldlijk systeem waarin de zwakkeren ten onder gaan en de sterkeren steeds sterker zullen worden.

Ik heb eten en wijn gebracht en geprobeerd hem zo goed mogelijk warm te houden. Drie dagen heb ik op hem ingepraat en geprobeerd hem te bereiken. Het is te koud om in het park te slapen, en het wordt er steeds onveiliger. Zelfs de buurtagenten maken zich zorgen om de zwervers. Maar hij was apathisch. De dood van Susa heeft de onverwerkte dood van zijn vrouw weer bovengehaald.

❖

In de tuin voor de serredeuren staat een klein meisje in een aardbeienjurkje en kaplaarzen. Ze draagt een witte wollen muts en zwaait naar me. Ik knipper met mijn ogen, ik moet tijdens het werk in slaap gevallen zijn. De vroege voorjaarszon, de wijn. Ik bedenk dat ik droom en val weer weg.

Een zacht handje aait mijn haar. Ik schrik en ineens ben ik klaarwakker. Het meisje staat nu voor de versleten sofa in mijn atelier en staart me aan met een serieus gezichtje.

Ik weet niet hoe ik moet reageren. Geen enkel levend wezen heeft ooit mijn tuin betreden op een paar brutale vogels na. Zelfs katten hebben de weg naar mijn binnentuin nooit weten te vinden. Laat staan naar mijn atelier. Maar het meisje staat er echt.

'Meekommen,' zegt ze resoluut. Ze pakt mijn hand en trekt me mee de tuin in. Ik loop achter haar aan, te beduusd om te reageren. Ze verdwijnt tussen de rododendrons. Even later komt ze weer uit de struiken gekropen met een schoenendoos in haar armen. In de doos zitten twee piepkleine katjes. Ze knielt op de grond en zet de diertjes voor zich in het gras.

'Lief hè?' Ze kijkt me verrukt aan.

'Ja, heel lief,' zeg ik. Ze pakt het kleinste zwarte katje op en steekt haar handje naar me uit.

'Een voor u en een voor mij,' zegt ze plechtig. Ik kijk naar dit kleine meisje en denk nog steeds dat ik droom. Maar ze zit hier echt in mijn tuin voor me in het gras geknield en in mijn handpalm ligt een zwart katje dat piept en zoekt.

'Hoe heten ze?' vraag ik. Het meisje knijpt haar ogen stijf dicht en denkt na.

'Het zijn twee weesjes, daarom noem ik deze Weesje en die Keesje,' zegt ze dan vastberaden.

'Dat is mooi bedacht,' zeg ik, 'Weesje en Keesje.'

'Ik denk dat de moeier niet voor ze kon zorgen. En dat de moeier ze daarom bij u in de tuin heeft gelegd.'

Dat klinkt logisch, een kat die een schoenendoos in mijn tuin zet.

'Ik denk het ook,' zeg ik. 'Maar weet je, ze zullen wel honger hebben. Kom, we gaan naar binnen.'

En daar zit ik midden op de dag, jonge katjes melk te voeren met een pipetje van een oud neusdruppelflesje, samen met een vierjarig meisje dat ik nog nooit eerder heb gezien. Ik vraag hoe ze heet.

Ze heet Sophietje en woont in het huis naast me. Ik vraag of haar moeder roze laarzen heeft. Dat heeft ze. Ze zijn hier net komen wonen. Haar moeder was op de bank in slaap gevallen en zij was aan het spelen in de achtertuin toen ze het gepiep van de kleine diertjes hoorde.

'Van mama mag ik ze vast niet houden,' zegt ze met een verdrietig gezichtje.

‘Ze kunnen hier wel blijven,’ zeg ik in een opwelling en wat onwennig streel ik haar blonde haar dat ze in twee slordige staartjes draagt.

Ik beloof haar dat ik goed voor ze zal zorgen en dat ze altijd even binnen mag komen lopen om naar ze te kijken. Ze kijkt me dankbaar aan.

‘Maar nu moet je weer gaan,’ zeg ik, ‘anders wordt je moeder ongerust.’

‘Nou, dag!’ Ze straalt helemaal en verdwijnt tussen de struiken.

‘Dag, tot de volgende keer.’ Ik pak de schoenendoos met de katjes op, loop naar het atelier en ga weer aan het werk.

Martin

Amber is terug bij Harold. Haar onvoorwaardelijke liefde is omgeslagen in onderkoelde onverschilligheid. Ik besta niet meer in haar wereld. Ook Harold glimlacht niet meer naar me.

De avond dat ik haar wilde vertellen dat Anja weer terug was in mijn leven heeft ze oprecht haar best gedaan om me kapot te maken. Voor mijn ogen transformeerde het zachtzoetige bambihertje in een sluw vosje. Vreemd genoeg maakte haar dat een stuk aantrekkelijker en de gedachte om nog een keer met haar te neuken, als een soort van afscheid, kon ik maar met moeite van me af zetten.

Ik had haar gevraagd die avond naar mijn atelier te komen. Ze was zoals altijd stipt op tijd en keek me argwanend aan toen ik haar binnenliet.

'We moeten praten,' zei ik en pakte twee biertjes uit de ijskast waarvan ik er een, bij gebrek aan een opener, tussen mijn tanden zette.

Toen ik de andere ook wilde openen hief ze haar hand op als een verkeersregelaar.

'Thanks, voor mij even niet.' Het 'we moeten praten' zei haar waarschijnlijk genoeg. Ik had het woord Anja nog niet laten vallen of ze stak van wal.

'Voordat je begint, heb ik je iets te zeggen.'

Ze viste een sigaret uit haar korte leren jasje (ik had haar nog nooit zien roken), stak die aan, inhaleerde diep en blies de rook wild de ruimte in terwijl ze me strak aankeek. Ook het leren jasje was nieuw.

'Ik heb nooit echt van je gehouden,' zette ze haar monoloog in. 'Ik zag je meer als een project. Ik wilde je alleen maar hebben omdat je anders was. Ik feite vind ik je een hopeloos geval. Nu zie ik dat in.' Ze zuchtte even en keek me aan met een gekwelde blik in haar bruine reeënogen.

'Harold is mijn grote liefde, nog steeds. Maar we zaten op een dood spoor, al een tijdje,' vertelde ze me. 'De beginverliefdheid was verdwenen. We zochten spanning, wilden iets nieuws en zijn aan het experimenteren geslagen. Harold met zijn latente homoseksuele gevoelens en ik met jou.'

'Het spijt me als ik je heb gekwetst. Ook namens Harold,' zei ze er deemoedig achteraan alsof ze een rouwbetuiging uitsprak. 'We hebben al die tijd contact met elkaar gehouden en onze bedgeheimen gedeeld. Door de jaloezie die we toen voelden zijn we tot inkeer gekomen. We willen samen verder. Ik had je het al eerder willen vertellen maar wilde je niet nog ongelukkiger maken dan je al bent.' Ze trapte haar sigaret uit en bleef me aankijken.

En ook al geloofde ik geen woord van wat ze zei en deed haar betoog me meer denken aan een midlifecrisis van een vijftiger in een vastgelopen huwelijk, ze acteerde het zo overtuigend dat ik voor een moment aan het twijfelen werd gebracht. Wellicht zat er toch een kern van waarheid in haar woorden. Dat verklaarde tegelijkertijd het verbazingwekkende feit dat Harold al die tijd naar me was blijven glimlachen.

Maar in de slotscène verraadde ze zichzelf. Ze vroeg me of ik iets te zeggen had. Dat had ik niet. Ik dacht aan Anja.

'Gevoelloze klootzak,' schreeuwde ze ineens. Ze schopte de schildersezel om, pakte haar leren jasje en vertrok. Sinds dat moment heeft ze niet meer met me gesproken. Ik liet het maar zo. Tenslotte had ze gelijk.

Rosa

Er is een wonder gebeurd. Ziggy is genezen. Het is gebeurd na ons kerkbezoek. Hij sprak over het licht, dat God hem heeft gered uit de duisternis. Dat Hij rechtstreeks tot hem had gesproken over zijn taak op aarde. In eerste instantie dacht ik dat hij in een hardnekkige psychose verkeerde. Maar tijdens het gesprek realiseerde ik me ineens dat hij opvallend helder uit zijn ogen keek, dat ik hem nog nooit zo had gezien.

God had een diagnose gesteld, zei hij. Hij droeg de schuld voor zijn oom en tante: de oom die hem misbruikte en zijn tante die het geweten moest hebben.

Drie dagen heeft hij jankend aan tafel gezeten en ze een brief geschreven, met een kopie aan al zijn familieleden. De aanwezigheid van een engel had hem daarbij geholpen, vertelde hij met stralende ogen. Daardoor vond hij de kracht om op te schrijven wat hem is overkomen, onweerlegbaar. Het misbruik tijdens gezamenlijke vakanties en logeerpartijen, de gezellige dagjes vissen met zijn oom. De waarheid heeft hem bevrijd. Hij heeft zich ingeschreven bij de woningbouwvereniging en een uitkering aangevraagd. Volgend jaar wil hij medicijnen gaan studeren.

❖

Het is twee uur in de middag. Ik werk aan het portret van Matthew. Luciano is net weg. Hij heeft me vannacht bemind totdat het zwart werd voor mijn ogen. De jarenlange afwezigheid van een man in mijn leven heeft mij omgetoverd in een ware meesteres en slaaf van genot. Mijn lichaam, dat afzichtelijke lichaam is aan het veranderen in een tempel van vuur en licht. Ik leef ondersteboven binnenstebuiten gekeerd en doe 's nachts geen oog meer dicht.

Ons liefdesleven is extatisch, ons seksleven schaamteloos. We gaan volledig op in onze verboden fantasieën en geheime spelletjes. Onze passie is als een groot uitgehongerd beest. Zijn honger is alleen te stillen als we samen zijn. En ik kan niet anders, ik kan alleen maar bij hem zijn of aan hem denken. Luciano en ik zijn een.

Het leven is veranderd, het is alsof de mensheid in een half jaar tijd een evolutie van duizend jaar heeft doorgemaakt. De anderen lijken gelukkig, alles straalt meer en mijn ogen hebben iets van de oude glans van vroeger teruggekregen. Zelfs de portretten van de zwervers uit het park hebben een bijna religieus aanzien gekregen. De dak- en tandeloze Matthew straalt nu een onmenselijk licht uit en is gehuld in een mystiek waas.

Een lichte bons tegen de serredeur. Het meisje met het aardbeienjurkje staat met haar neus tegen het glas gedrukt en grijnst van oor tot oor. Ze kruipt nu bijna dagelijks door het gat in de heg van de achtertuin om even met de kleine katjes te kunnen spelen.

Haar moeder heb ik sinds de verhuizing niet meer gezien. Overdag blijven de gordijnen systematisch gesloten en de brievenbus aan het begin van het tuinpad puilt uit. Ook al begint mijn afschuw voor de anderen iets af te nemen en lijken mijn paniekaanvallen als sneeuw voor de zon te verdwijnen, het contact met de anderen probeer ik nog even uit te stellen. Maar ik weet dat ik de moeder van dit meisje niet uit de weg kan gaan. Iets vertelt me dit.

Ik laat het meisje binnen en ze volgt me naar de keuken waar ik limonade voor haar maak. Verrukt knielt ze voor de kartonnen doos met de kleine katjes en spreekt ze één voor één toe.

'Wat zijn ze groot geworden, hè?'

'Mag ik bij jou blijven vanmiddag?'

De vraag komt onverwacht.

'Een halfuurtje dan. Maar wel stil hoor, ik ben aan het werk.'

Ze drentelt achter me aan naar mijn atelier en klimt op de oude tweezitter. Ze gaat heel rechtop zitten en slaat haar rechterbeen over haar linkerbeen, als een dame. Een hand legt ze op haar knie en met haar andere hand houdt ze het limonadeglas vast. Dan slaakt een diepe zucht zoals alleen volwassenen dat kunnen en gaat naar me zitten kijken.

Nauwlettend volgt ze al mijn bewegingen terwijl ze kleine slokjes van haar limonade slurpt. Ik vraag me af waar ze aan denkt.

'Wie is die meneer?'

'Deze meneer?' vraag ik terwijl ik de dakloze Matthew aanwijs.

Ze knikt instemmend.

'Deze meneer is Matthew.'

'Waarom schilder jij hem?'

'Omdat hij bijzonder is.'

'Waarom is hij bijzonder?'

'Omdat deze meneer eigenlijk geen meneer is. Omdat hij dakloos is.'

'Dakloos?'

'Hij leeft op straat, hij heeft geen huis.'

'Waar slaapt hij dan?'

'In het park.'

'Vindt hij dat niet koud?'

'Soms wel.'

'Waarom heeft hij geen tanden?'

‘Ik weet het niet, hij heeft het me nooit verteld. Misschien heeft hij geen geld voor de tandarts.’

Sophietje denkt na.

‘Misschien zijn zijn tanden gestolen toen hij lag te slapen in het park.’

‘Dat zou kunnen.’

Het is even stil.

‘Ik vind het zielig voor hem. Dat hij geen huis heeft en geen tanden.’

‘Ik eigenlijk ook,’ zeg ik.

Ik ga naast haar zitten op de versleten sofa en kijk naar het schilderij. Zachtjes zing ik een liedje voor haar.

Hij had geen huis en geen haard,
hij had geen tanden en geen zwaard.
Hij had alleen een plastic tas,
die tot op de bodem leeg was.

Sophietje luistert geïnteresseerd, kruipt wat dichterbij en legt dan haar hoofd tegen me aan. Zo zitten we een tijdje en voor een moment stel ik me voor dat ik haar moeder ben. Heel even maar, er is toch niemand die dit weet.

Het stortregent. Ik sta voor het huis van de buurvrouw met Sophietje aan mijn hand. Het is midden op de dag maar de gordijnen zijn gesloten.

Ik bel aan en wacht af. Geen beweging, geen geluid.

‘Mama slaapt,’ zegt Sophietje. Voor het kleine meisje is dit waarschijnlijk een dagelijkse realiteit geworden. Na drie keer bellen hoor ik iets bewegen. Het gordijn wordt een stukje opengeschoven en achter het raam verschijnt het slaperige gezicht van een vrouw met verwarde blonde haren. Ze is ongeveer van dezelfde leeftijd als ik en kijkt me wantrouwend aan. Ik wijs op Sophietje. Ze schrikt, maakt een verontschuldigend gebaar en haast zich naar de voordeur. Ik hoor hoe het nachtslot van de deur wordt gedraaid. Ze draagt een joggingpak, loopt op slobkousen en is zichtbaar zwanger.

'Sorry, ik moet in slaap gevallen zijn. Anja Rozenblad,' zegt ze met een slaperige stem als ze haar kleine hand in de mijne legt.

'Rosa Menalos de buurvrouw,' zeg ik, alsof 'de buurvrouw' mijn tweede achternaam is. Met mijn sociale vaardigheden zit het nog steeds niet helemaal goed.

'Ze was aan het spelen bij mij in de achtertuin.'

'Kom binnen, kom binnen,' zegt ze, 'dan zet ik thee.'

Omdat ik al zo lang niet meer bij iemand op bezoek ben geweest, voel ik me een indringer, een dief op vreemde bodem, ongewenst. Ik wil vluchten, haar bedanken, 'een volgende keer misschien' zeggen. Maar iets weerhoudt me. Ook al heb ik niets met andere mensen, ik ben nieuwsgierig naar de vrouw die hier net is komen wonen. Twijfelend blijf ik op haar stoep staan, niet wetend wat voor het moment goed en passend is. Maar veel keus wordt me niet gelaten, Anja is zonder mijn antwoord af te wachten het huis in gelopen en Sophietje trekt me aan haar kleine hand mee over de drempel.

Het vertrek is ongezellig en leeg en er hangt een vage geur van lelies. De vloerbedekking ontbreekt. Er staat alleen een bank, een televisie en een eettafel op de kale planken. De ruimte wordt verlicht door een kaal peertje dat in het midden van de kamer hangt. Tegen de hoge witte muren staan verhuisdozen opgestapeld. ANJA'S SPULLEN staat er met rode merkstift op geschreven. Op de bank is een soort eiland gecreëerd waar Anja waarschijnlijk de meeste tijd doorbrengt.

'Ga zitten,' zegt Anja, 'dan zet ik thee.'

Ik schuif wat spullen opzij en ga op het puntje van de bank

zitten. Sophietje kruipt direct bij me op schoot.

'Schuif de rotzooi maar opzij, hoor,' klinkt het uit de keuken. 'Hou je van sinaasappelthee?'

'Ja, heerlijk,' roep ik terug terwijl ik me probeer te herinneren wanneer ik voor het laatst thee heb gedronken. Mijn ogen dwalen door de ruimte, op de grond slingeren een paar kledingstukken, speelgoed en hier en daar een droge broodkorst. Mijn oog valt op de omslag van een boek met de titel: Alleen verder... De vaas lelies zie ik nergens staan.

Anja komt binnen met de thee, schuift de rommel met een armbeweging van de bank en gaat naast me zitten. Ze glimlacht schuldig naar me.

'Sorry,' zegt ze. 'Heb ik je al bedankt?'

'Het geeft niet,' zeg ik, 'ik ben al een beetje aan haar gewend geraakt', en ik kijk even naar Sophietje die op een arm van een gebreide slingeraap kauwt.

'Het zijn de medicijnen, ik kan mijn ogen nauwelijks openhouden.'

Ik vraag of ze ziek is. Ze overweegt iets. Dan kijkt ze me recht aan.

'Ik ben een tijdje weggeweest,' zegt ze. 'Ik heb in een inrichting gezeten.'

Ik knik begrijpend om haar niet af te schrikken en wacht op wat er nog meer komt.

'Doorgedraaid,' zegt ze, 'het was me te veel geworden.' Met trillende handen schenkt ze de thee in twee kleine handgeschilderde glaasjes.

'Leef je alleen?' vraag ik overbodig. Ze knikt.

'Ik lig in scheiding. Hij had een ander. Een vreselijk cliché. Ik heb hem betrapt met de oppas toen ik in verwachting was van de derde.'

'Mijn man is arts,' zegt ze erachteraan alsof dat alles verklaart. Weer knik ik begrijpend.

'Honing?' Ze knippert met haar ogen om de opkomende tranen tegen te houden.

'Graag.'

Het is even stil en we kijken door het raam naar buiten.

'Het gaat regenen,' zeggen we gelijktijdig. Weer valt het stil en we aanschouwen hoe de grijze lucht langzaam zwart kleurt. Ik vraag me af of ze spijt heeft van wat ze me zojuist verteld heeft. Maar ze hervat moed en vervolgt haar verhaal.

'En toen de miskraam.' Ze zucht even. 'In een paar maanden tijd is mijn leven ingestort. Gelukkig getrouwd, twee kinderen, geld als water en een kast van een huis. Nu ben ik afgeschreven, als echtgenote, als werkneemster, als moeder.'

'Hé,' zeg ik zacht, 'zo mag je niet praten.' Ik voel een enorme sympathie voor deze vrouw met haar sombere denkbeelden. 'Het feit dat je man de verkeerde keus heeft gemaakt wil niet zeggen dat jij niet goed genoeg bent.' Ik ben er ineens stellig van overtuigd dat ik hier nodig ben.

'Misschien was je wel te goed,' doe ik er nog een schepje bovenop.

Mijn opmerking lijkt haar te verwarren. Ze kijkt me nietbegrijpend aan. 'Te goed? Ik word nog net goed genoeg gevonden om voor een van mijn kinderen te kunnen zorgen. De jeugdzorg komt hier wekelijks op bezoek om te kijken hoe het gaat. Het jongetje heb ik bij zijn vader gelaten.'

'Het jongetje?' Ik verslik me bijna in de hete thee.

'Ja, mijn andere kind. Ik heb nooit echt van hem gehouden. Is het mogelijk om niet van je kind te houden?' vraagt ze en snuit hard haar neus.

Ik denk aan Demian.

'Nee, dat is niet mogelijk,' zeg ik kort.

'En toch is het zo,' zegt ze en hijst haar slobkousen op. 'Soms lijkt het wel een droom, ver weg van wat echt is, ver weg van de realiteit.'

'Misschien was het die droom die op moest houden te bestaan. En ben je in de realiteit aangekomen. Je bent niet de enige die er op een dag achter komt dat ze in een droom heeft geleefd, dat alles waar ze zich achter schuilhield niet meer is wat het ooit is geweest.'

'En jij?' Ik schrik van de vraag.

'Hoe zit het met jouw dromen? Ben jij gelukkig?' Even overweeg ik op te stappen maar iets zegt me te blijven zitten.

'Of ik gelukkig ben? Tja, het is maar wat je onder geluk verstaat,' mijmer ik wat voor me uit om tijd te rekken. Dan besluit ik eerlijk te zijn en een stukje van mezelf bloot te geven.

'Niet echt. Ik heb altijd het gevoel gehad dat ik niets waard ben, dat ik niet echt nodig ben in deze wereld. Dat het geen wezenlijk verschil maakt of ik besta. Het idee dat ik iets ben misgelopen, iets wat had moeten gebeuren maar nooit heeft plaatsgevonden. Dat ik een afslag heb gemist.'

'Een dode vis,' zegt ze begrijpend.

'Een dode vis?' echo ik.

'Ja, een gemiste kans, een dode vis. Daar moet ik aan denken als je dat vertelt over die afslag.'

'Ik kende de uitdrukking niet, sorry.'

'Het is geen uitdrukking. Ik heb iemand gekend, hij heeft me geschilderd met een dode vis in mijn hand. Net voordat alles mis is gelopen. Hij hield van me, hij heeft gezworen zelfmoord te plegen als ik zijn liefde onbeantwoord zou laten. Zijn liefde heeft me gered.'

Ik vind het wel een mooi verhaal, al vraag ik me af wat een dode vis met een gemiste kans te maken heeft. We drinken de hete thee en kijken naar de striemende regen die tegen de ruit slaat. Voor een moment verdwijnen we in onze eigen gedachten. Ik denk aan Luciano en realiseer me dat er iets is veranderd in mijn leven. Gelukkig? Ik weet het niet. Maar ik weet wel dat het isolement waar ik zo lang in verkeerde is doorbroken.

Als de thee op is nemen we afscheid van elkaar.

'Weer aan het werk,' zeg ik.

In een hoek bij de voordeur zie ik de roze laarzen staan en ik kan me niet bedwingen.

'Is dat nou echt konijnenbont?' De vraag ontsnapt me.

'Ben je gek! Ik heb ze voor een paar tientjes op de markt gekocht. Ze stonden jaren in de kast. Ik mocht ze van Arjo niet dragen. Affreus!' vond hij.

'Beneden onze stand,' zegt ze met een veelbetekenende blik.

'Nu draag ik ze weer.'

Opgelucht verlaat ik het huis en voor het eerst sinds lange tijd heb ik het gevoel dat ik een vriendin ben tegengekomen.

Martin

Ik fiets hard. Ieder uur, elke minuut, elke seconde zonder Anja is verloren tijd voor mij. Elke dag na de lessen ga ik wel even bij haar langs om te kijken hoe het met haar gaat. We neuken ons suf nu het nog kan.

Sinds ze terug is in mijn leven ben ik gelukkiger dan ik ooit ben geweest.

Net op het moment dat ik op het punt stond een kogel door mijn kop te jagen of mezelf te verhangen in mijn atelier, veranderde mijn lot. De doelloosheid, die lege wanhoop, het is verdwenen alsof het nooit heeft bestaan. Ik kijk terug op mijn leven als op dat van een vreemde.

Eindelijk heeft mijn aanwezigheid op deze aarde zin gekregen. Voortaan ben ik op missie en moet een heilige opdracht vervullen, Anja gelukkig maken. Als ik in haar lichtende ogen kijk zie ik dat ik succes heb. Ze straalt. Ik kan het maar niet bevatten. Ik word vader. Dagelijks leg ik mijn handen op de buik die alsmaar groter wordt om mezelf ervan te overtuigen dat zich daar binnenin leven bevindt en dat ik daar de oorzaak van ben.

Gehaast gooi ik mijn fiets tegen het muurtje en spring over het tuinhek. Ik hoop dat ze thuis is.

Een tik op het raam. Het huis dat tot voor kort werd omgeven door rozenstruiken, klimop en metershoog onkruid is voor het eerst zichtbaar. Het huis van de heks. Zo wordt de vrouw genoemd die daar al jaren in alle eenzaamheid schijnt te wonen. Ik heb de vrouw die op het aanrecht voor het raam zit en me aandachtig opneemt, dan ook nog nooit gezien.

Ze is mager, heeft lang, sluik, donker haar en draagt een groot wit mannenoverhemd vol verfvlekken. Ik schat haar zesentwintig, zevenentwintig jaar. Van achter het glas probeert ze zich verstaanbaar te maken. Ik begrijp haar niet en loop het tuinpad op. Met grappige bewegingen van haar lange armen probeert ze me duidelijk te maken dat ik mijn fiets op slot moet zetten.

Omdat ik nieuwsgierig naar haar ben, loop ik verder het tuinpad op en ga met een niet-begrijpende uitdrukking op mijn gezicht voor het keukenraam staan. Dichterbij zie ik dat ze ouder is. Ze twijfelt even maar opent dan toch het raam.

Ze heeft een trieste uitdrukking in haar ogen en lacht naar me. Ze zou een prachtig model kunnen zijn omdat ze anders is. Zware donkere wenkbrauwen, een grote neus die wat scheef staat en een sterk gewelfde bovenlip. Haar kin steekt vastberaden naar voren.

Ondanks haar bleke huidskleur, die waarschijnlijk is veroorzaakt door het gebrek aan zonlicht, heeft ze iets zuidelijks. Het is geen standaard mooie vrouw maar een krachtige vrouw. Ze heeft iets eenzaams, iets eigenaardigs. Ze doet me denken aan een oosterse prinses, een verdwaalde prinses in mannenkleren. Ik vind haar wel grappig.

'Je moet je fiets op slot zetten, hij is hier zo weg,' zegt ze. Haar stem is verrassend warm, een heel aangenaam geluid.

Ik heb zin om haar aan het lachen te maken, maar omdat ik zo snel niets kan bedenken, grijns ik wat stompzinnig naar haar, loop terug en zet mijn fiets op slot.

Sophietje komt het tuinpad op rennen en grijpt me om mijn benen. Nog even lach ik naar de vrouw die me ergens vaag bekend voorkomt en haast me het huis van Anja binnen.

Als we even later het huis uit komen en met zijn drieën de straat uitwandelen voel ik de ogen van de heks die ons nakijkt van achter het raam. Even kijk ik om. Ze zit er nog steeds. Verliefd sla ik mijn arm om Anja heen en steek mijn hand nonchalant in de achterzak van haar spijkerbroek. Gewoon om haar te choqueren.

Rosa

Ik zit op de hoek van het aanrecht in de keuken en kijk door het raam naar buiten. Luciano zal zo wel komen. De gesnoeide struiken en bomen in mijn voortuin laten nu een gedeelte van de straat en het tuinpad vrij en gunnen mij een vrij uitzicht op de wereld buiten.

Tot voor kort was het nog onmogelijk voor de anderen om mijn voordeur te bereiken. Zelfs voor de postbode, die de paar nota's die ik maandelijks ontving gedwee in de plastic tas deponeerde die aan de binnenkant van mijn tuinhekje hing.

Ik leefde als Doornroosje in een verstopt huis omringd door klimop, metershoog wild gras en rozenstruiken en hield me slapende voor de buitenwereld. Durfde mijn plek niet meer te bevechten in deze maatschappij, durfde niet meer te dromen.

Nu is alles anders. Luciano heeft mij voorgoed veranderd. Hij heeft de heggenschaar gepakt en de betovering verbroken. En nu zit ik voor het raam, kijk naar de buitenwereld en denk na over mijn functie in het geheel. Ik ben mens aan het worden en langzaam beginnen de dromen die ik als kind had terug te komen. Kleur geven aan de doodse grauwe planeet die aarde heet en waar ik ben geboren.

En dat komt door Luciano die me het gevoel terug heeft weten te geven dat ik ertoe doe, dat ik verschil maak, dat er wellicht toch een reden is voor mijn bestaan.

Het smeedijzeren hek aan de zijkant van het huis leidt tot aan de tuin en is begroeid met klimop. Vandaag zullen we het pad vrijmaken en de klimop weghalen. En op het hek komt een bord.

Rosa's Beeldentuin
Dagelijks geopend van twee tot vijf.
Vrij entree.

Het voelt als het openstellen van mijn hart dat jarenlang dichtgetimmerd zat. Mijn selectieve hart dat weigerde te beminnen.

Er komt een jongen aanfietsen op een rode mountainbike. Hij fietst hard en zet zijn fiets, zonder hem op slot te zetten, tegen het muurtje van Anja's tuin. Ik heb de jongen nooit eerder gezien. Met een lenige zwaai springt hij over het tuinhekje en loopt het tuinpad op.

Hij heeft een krachtig middelgroot postuur, sterke zongebruinde armen en korte donkerblonde stekeltjes. Hij draagt een laaghangende legerbroek, een zichtbare Björn Borg en dure gympen.

Ik tik op het raam. De jongen kijkt op. Het type straatschoffie, niet echt mooi maar met een aureool van aantrekking om zich heen. Een moment denk ik aan Demian die nu ongeveer zijn leeftijd moet hebben en vraag me af waar hij zich bevindt.

'Je moet je fiets op slot zetten,' probeer ik me verstaanbaar te maken. Hij begrijpt niet wat ik bedoel en heft met een lachend gebaar zijn handen op. Opnieuw probeer ik me verstaanbaar te maken.

'Je fiets op slot zetten,' mime ik als een doofstomme door het raam. De jongen haalt zijn schouders op en komt dan dichterbij. Ik duw het keukenraam open en kijk in het gezicht recht voor me. Hij staart me aan met een brutale blik in zijn grijsgroene ogen. Net onder de rand van zijn onderlip glinstert een metalen punt.

'Je fiets staat niet op slot, hij is zo weg hier.'

'O, dank je. Niet op gelet.' Hij grijnst naar me, veel te zelfingenomen voor zijn leeftijd. Dan loopt hij terug naar zijn fiets. Relaxed, zijn hoofd iets gebogen alsof de wereld om hem heen er niet echt toe doet. Als hij het tuinpad weer op komt kijkt hij me voor een moment schuin aan, lacht en steekt zijn hand nonchalant op om me te bedanken. Ik vermoed dat het een neef van Anja is.

Sophietje komt naar buiten rennen en grijpt de jongen bij zijn benen. Hij tilt haar lachend op en kust haar gezicht.

'Martin!' kraait ze opgewonden en slaat haar armen om zijn hals.

'Is mama wakker?' hoor ik de jongen vragen als ze het huis binnengaan. Ik bedenk dat de naam Martin niet bij hem past en sluit het raam.

Een halfuur later zie ik ze weer naar buiten komen. Sophietje zit op de nek van de jongen. Als ze me ziet begint ze enthousiast te zwaaien.

'Osa, osa.'

'Dag Sophietje.'

Een moment later komt Anja naar buiten. Ze draagt een rugtas en sluit de buitendeur af. Haar buik lijkt met de dag te groeien. Als ze me ziet zitten lacht ze even naar me.

'We gaan naar het strand,' zegt ze.

'Leuk, geniet er maar van.'

Ze straalt helemaal. De zwangerschap schijnt haar goed te doen. Al is het me een raadsel wie de vader is.

Ik zwaai nog een keer naar Sophie en kijk ze na terwijl ze straat uit lopen. De jongen kijkt nog een keer om. Even knipper ik met mijn ogen en vraag me af of ik het goed zie. Aan het eind van de straat laat de jongen zijn arm om haar middel glijden en alsof Anja zijn bezit is steekt hij zijn hand in de achterzak van haar spijkerbroek. Als een verliefd stelletje verdwijnen ze uit mijn gezichtsveld. Die Anja, dat heeft ze me niet verteld. De jongen is hooguit negentien.

Anja lijkt niet helemaal op haar gemak, als ik tussen neus en lippen door informeer wie de hippe jongen is die ik gisteren zo relaxed over het tuinhekje zag springen. Het is namiddag, we drinken koffie in mijn tuin, in de schaduw van de appelboom.

'O, dat is Martin,' antwoordt ze quasinonchalant terwijl ze een roodborstje voert dat argeloos aan is komen hippen en nu voor ons op het gietijzeren tafeltje zit.

'De jongen waar ik je over vertelde,' zegt ze alsof het allemaal niets voorstelt, 'die met de dode vis.'

'Ach ja natuurlijk, die met die dode vis,' zeg ik zo neutraal mogelijk in de hoop zo meer te weten te komen over haar geheime relatie.

Ze wrijft zacht met haar handen over haar buik en kijkt wat dromerig voor zich uit. 'Hij is de zoon van Arie en Desiree, mijn overburen in de villawijk, we hebben contact gehouden. Desiree was een vriendin van me.'

'Was?' vraag ik. Ze kijkt me even nadenkend aan, dan met een licht verwijtende ondertoon: 'Je zit te vissen.'

'Waarschijnlijk wel,' geef ik toe. 'Hij leek zo jong.'

'Dat is hij ook. En zijn moeder zie ik inderdaad niet meer. In feite zie ik niemand meer,' zegt ze als ze opstaat, zich uitstrekt en de tuin in loopt.

❖

Het nieuws kwam als een schok. Anja is zwanger van de jongen. Martin wordt de vader. Gisterenavond zijn ze het komen vertellen. Hand in hand stonden ze bij mij voor de deur. Het was alsof ze licht gaven. Nog nooit heb ik twee mensen van dichtbij meegemaakt die zo verliefd waren.

Omdat ze hun relatie verborgen houden voor de buitenwereld hebben ze mij uitgekozen als ingewijde. Ik ben hun vertrouweling. Bij mij kunnen ze zichzelf zijn, althans dat denken ze. In het begin vond ik het wel een mooie gedachte, een jongen die een gescheiden, eenzame vrouw wil redden van een uitzichtloos bestaan. Zijn oprechte gevoelens voor haar vertederden me.

Maar nu hun relatie serieuze vormen begint aan te nemen en de gevoelens tussen die twee verdacht veel op echte liefde beginnen te lijken, groeit er in mij een onwrikbaar verlangen dat hun liefde sneuvelt en heel snel.

Het is een onverklaarbaar verlangen, even onverklaarbaar als dat jaloerse gevoel dat door mijn onderbuik vlamt, elke keer als in mijn nabijheid hun verliefde ogen elkaar zoeken en vinden. Of wanneer hij haar in het voorbijgaan even aanraakt, haar gedachteloos streelt. Zo natuurlijk, zo vanzelf alsof het nooit anders is geweest, nooit anders meer zal zijn.

Ik verdenk Anja ervan dat ze uit wraakgevoelens van de jongen is gaan houden. Zelf zegt ze van niet. Ze reageerde felverontwaardigd toen ik opperde dat het jarenlange bedrog van haar ex-man haar misschien parten heeft gespeeld in de beslissing van de jongen te gaan houden.

Het was vroeg in de ochtend en ik had aangeboden Sophietje die dag naar de kleuterschool te brengen.

'Een beslissing?! Dit is geen beslissing, Rosa,' zei ze verontwaardigd terwijl ze met rappe vingers de blonde haren van Sophietje vlocht.

'Ik hou nu eenmaal van hem,' murmelde ze met twee elastiekjes tussen haar tanden.

'Ik heb geprobeerd hem te vergeten maar het is me niet gelukt,' zei ze en met een handige beweging klipte ze de vlechten als twee ezelsoren op het hoofd van Sophietje vast. Ze klonk zo resoluut, zo vastberaden, zo zonder enige gêne of twijfel, ze leek het feit dat ze zwanger is geraakt van een 'minderjarige' volkomen te hebben geaccepteerd.

En ergens kan ik haar geen ongelijk geven. Hij was degene die er voor haar was toen ze haar keurig georganiseerde leventje als een zeepbel uit elkaar zag spatten. Toen degenen van wie ze dacht dat die het meest van haar hielden, haar als een baksteen lieten vallen, was hij er. Omdat hij van haar hield. Hij leerde haar wat echte liefde is. Wat het betekent onvervangbaar te zijn.

Bij Arjo heeft ze altijd het gevoel gehouden dat ze vervangbaar was. Terwijl aan de buitenkant alles perfect in orde leek, bleef er dat zeurende stemmetje vanbinnen dat haar vertelde dat er een dag zou komen dat hij haar in zou ruilen voor een ander. Wat ze ook zou doen, wie ze ook zou worden voor hem. Dat het iets onvermijdelijks was, ondanks alle schijnbare zekerheden, het huwelijk, de villa, de kinderen, hun gedeelde interesses.

Ze klonk oprecht en zijn liefde laat haar stralen maar iets in me weigert het te accepteren. Het zal het leeftijdsverschil tussen de twee wel zijn. Een echt redelijk argument is het niet gezien mijn relatie met Luciano maar een andere voor de hand liggend reden kan ik niet bedenken.

Morgen zal ik er met Joost over spreken want ook al heb ik beloofd hun geheim verborgen te houden, elke vertrouweling heeft een andere ingewijde nodig.

Martin

Het is vijf uur in de ochtend. Ik heb een gigantische erectie en staar naar het plafond. Anja ligt naast me te slapen. Ze ligt op haar zij, dik en roze, onschuldig als een kind. Ik luister naar haar ademhaling.

Het idee dat ik straks vader zal worden, en verantwoordelijk ben voor een ander leven dan dat van mezelf bezorgt me de laatste tijd panische angsten. Vaak lig ik 's nachts wakker, staar in het donker en laat alle rampenscenario's aan me voorbijtrekken.

Ik draai me een halve slag om en kriebel de zachte donshaartjes in haar nek. Ons seksleven is veranderd. Nu de bevalling dichterbij komt ben ik voorzichtiger geworden. Alsof ik met een egel vrij, doodsbang iets verkeerd te doen. Zelf is ze hitsiger dan ooit.

Traag glijdt mijn duim langs haar ruggengraat naar beneden en vindt het kleine kuiltje net boven haar billen. Ik voel een onbedwingbare behoefte in haar binnen te dringen, me te troosten in de hete zijdezachte holte tussen haar benen. Als ik mijn hand van achteren tussen haar dijbenen laat glijden voel ik hoe opgewonden ze is, zelfs in haar slaap. Zacht bijt ik in haar schouder en leg een hand op haar heupen die elke dag ronder worden. Ze beweegt en zucht even. Heel voorzichtig, doodsbenauwd de baby te doden met mijn stijve, dring ik in haar binnen. Zachtjes beweeg ik mijn harde lid in haar. Kreunend wordt ze wakker.

'Martin, ben jij dat?' vraagt ze in haar halfslaap.

'Nee,' hijg ik terwijl ik probeer een vroegtijdig orgasme uit te stellen, 'ik ben de grote boze wolf.'

Ze duwt haar zachte warme billen naar achteren en vraagt me nooit meer op te houden, altijd in haar te blijven.

Maar ik raak zo opgewonden van haar hete gefluister dat ik direct mijn zaad in haar wil spuiten. Ik draai mijn gezicht weg van haar deinende roze billen en denk aan de oorlogsslachtoffers in Irak. Erg prettig is het niet maar het werkt. Als ik mezelf onder controle heb, mijn harde geslacht opnieuw in haar beweeg en haar naar een hoogtepunt toe breng vervagen de beelden meteen. Ze komt klaar met een meervoudig orgasme dat iedere pornoster doet verbleken, pakt een glas water, drinkt het in één teug op, kust me ergens op mijn arm en valt dan als een kind weer in slaap.

Ik heb zin om te blowen. Voorzichtig om Anja niet opnieuw te wekken, laat ik me uit het bed glijden. Naakt ga ik voor het raam staan en kijk naar beneden. De tuin ligt gevangen in een zwartblauw licht. Mijn blik valt op de hoge coniferen die als donkergeklede wachters de tuin naast ons bewaken. De tuin van de heks: van de vrouw met het ravenzwarte haar en de treurige blik in haar ogen. Achter de hoge heg bevindt zich een beeldentuin. Sophietje heeft het me verteld. Ze praat altijd over de stille mensen in de tuin van Rosa. De geheimzinnigheid rond haar en haar werk hebben me nieuwsgierig gemaakt en ik rek me uit om over de heg heen te kunnen kijken. Maar de takken en bladeren van de hoge bomen bedekken de beelden.

Ik weet dat ze niet thuis is. Rond een uur of elf heb ik haar zien vertrekken. Alleen de eenzame nacht in, een sjaal over haar hoofd geslagen als een moslima. Waarschijnlijk op weg naar haar minnaar, de Spaanse pizzajongen met de gitaar. De liefde tussen hen verbaast me. Enige gelijkwaardigheid tussen die twee kan ik niet bespeuren. Hun relatie schijnt gebaseerd op nachtelijke afspraakjes.

Op mijn tenen sluip ik de trappen af, op weg naar de tuin

van de heks. Als ik voor de hoge heg sta twijfel ik even. Het voelt aan als heiligschennis, als aankomend kunstenaar weet ik dit maar al te goed. Toch doe ik het, ik voel een sterke behoefte door die tuin te dwalen, me te laten troosten door haar beelden. En niemand hoeft het te weten. Toch ben ik gespannen over wat ik achter de heg aan zal treffen. Mijn ogen dwalen langs de heg en vinden de spaarzame opening. Ik ga plat op mijn buik liggen en wurm me door het kleine gat. De stevige wortels pletten mijn borstkast en benemen me voor een moment de adem. Mijn ogen hebben even tijd nodig om te wennen aan het donker in de tuin. Het hoge bladerdak bedekt de tuin als de koepel van een tempel.

Het is een aangrijpende aanblik. Dit zijn geen kunstobjecten, dit zijn echte mensen, gemaakt door meesters uit vervlogen tijden. Zielen samengekomen op een verborgen plek op aarde, onderling verbonden door het leven zelf, door de gedeelde ervaring. Ik voel me klein en nietig, verwonderd door zo veel schoonheid. Alle beelden zijn gemaakt met eenzelfde intensiteit. Tot leven gewekt door haar adem, haar liefde voor het leven. Mijn blik blijft hangen op een sculptuur van een vrouw die op het punt staat te bevallen. Ze staat op haar tenen, heeft haar hoofd naar achteren gebogen en schreeuwt tegen het universum alsof ze haar pijn wil overdragen aan de uitgestrekte leegte. Met een hand ondersteunt ze een enorme buik. Maar op de plek waar het kind had moeten zitten bevindt zich een lege ruimte.

Ik huiver en ga met mijn rug tegen de hoge kastanjeboom zitten. Ik draai een joint en denk aan mijn moeder. Vraag me af waar ze zich nu bevindt. Wat ze aan het doen is. Of ze gelukkig is. Nu de bevalling dichterbij komt dringt de gedachte dat ik haar moet gaan zoeken zich steeds vaker aan me op. Waarschijnlijk door mijn angst dat er iets fout gaat. Dat er straks dingen bovenkomen die ik niet kan vermoeden. Dat ik het kind uit onhandigheid uit mijn handen laat vallen. Dat ik het per ongeluk iets aandoe of expres. Dat het gehuil me gek zal maken, dat ik onbeheersbare driftbuiten krijg of het kind gewoonweg vergeet. Dat ik flauwval tijdens de bevalling en de seks met Anja nooit meer hetzelfde zal zijn. Of erger, dat ze sterft tijdens de bevalling of dat het kind niet levend ter wereld komt omdat ik ben vervloekt.

Om mezelf gerust te stellen probeer ik me het gezicht van mijn moeder voor de geest te halen. Het honingblonde haar, de stralende, altijd lachende ogen... Maar het beeld is onscherp. De herinnering aan haar lijkt te vervagen, alsof ze langzaam aan het verdwijnen is en oplost voor mijn ogen.

Sinds de ontmoeting met Louisa en Brutus is de twijfel begonnen. Toen ik de meelijwekkende blik in haar ogen zag. Ineens was ik er niet meer zo zeker van dat het beeld dat ik door de jaren heen van haar had opgebouwd zich op enigerlei wijze verhoudt tot de realiteit. Misschien is ze allang dood en begraven en ligt ze ergens vergeten in de koude grond. Maar hoe heeft die schijnbare herinnering aan haar zich dan vastgeketend in mijn geest?

Er is me verteld dat ik drie dagen oud was toen ik werd gevonden. Dat ik daar enige herinnering aan over zou hebben gehouden komt me ineens volstrekt belachelijk en naïef voor. Laat staan dat ik al die tijd gedacht heb haar in detail uit te kunnen tekenen. Vioolblauwe ogen? Wie heeft me dat ooit wijsgemaakt?

Waarschijnlijk een beeld afkomstig uit een oud sprookjesboek, dat me op driejarige leeftijd is voorgelezen door een pleegmoeder of een kinderjuf in een tehuis. Rapunzel misschien of de koningin van Sneeuwwitje.

Heeft iemand me dit ooit wijsgemaakt om me te troosten. Een van mijn pleegmoeders die naast mijn bed is gaan zitten omdat ik ontroostbaar was en die ten einde raad een verhaaltje uit haar mouw schudde over een blonde toverfee met vioolblauwe ogen en een stralende lach, die er altijd voor me zijn zou zijn als ik dat wenste, dat ik alleen maar aan haar hoefde te denken. Heeft die leugen zich op die manier vastgezet in mijn zieke hoofd.

De joint brandt mijn vingers. Ik sta op, klim over het smeedijzeren hek en verlaat de tuin via de zijkant van het huis.

Rosa

Er is iemand in de tuin geweest. Naast het beeld van moeder aarde lag een stukje zilverpapier.

❖

Hij zat aan het water te schrijven bij het licht van een zaklantaarn, met een stompje potlood op een losgescheurde patatzak. Na de verdrinkingsdood van Susa zoekt hij steeds vaker de eenzaamheid en leeft hij afgezonderd van de andere zwervers in het park.

'Laat ze gaan, Rosa,' zei hij nog voordat dat ik een woord tegen hem gesproken had. 'Bemoei je er niet mee.'

'Maar die jongen is achttien, zij is vijfendertig. Ze zouden moeder en zoon kunnen zijn,' riep ik oprecht verontwaardigd.

'Liefde is geen rekensom. Het overkomt je. Je kunt het niet dwingen of manipuleren. Je kunt je er alleen maar voor openstellen.'

'Zonder aarzeling, zonder nadenken?'

'Niets is schadelijker voor de liefde dan het kille verstand, het angstige brein dat alles wil beredeneren, vast wil grijpen. De macht van het denken is heel sterk, en de grootste vijand van de liefde. Het kan haar met een enkele gedachte tenietdoen.'

'Maar wat als de liefde je kapotmaakt?'

'Echte liefde kan je niet kapotmaken, ze kan je hooguit beschadigen, een barst veroorzaken.'

Voor een moment denk ik aan Sylvo. Ik had die liefde een

halt moeten toeroepen, teniet moeten doen, die liefde onbevangen als een veulen.

'En toch vind ik het ongepast,' mok ik door. 'Die jongen is gewoon te jong.'

'Nu praat je net als een van de anderen.' Hij glimlacht even en doet er verder het zwijgen toe voordat hij in de struiken verdwijnt. Op zoek naar Agnes.

Nog lang zit ik daar, in gemijmer verzonken. Ik heb behoefte om alleen te zijn vannacht. Luciano werkt verstikkend de laatste tijd. Alsof hij me opvreet met zijn liefde en alles hem toebehoort. Alsof ik geen eigen lichaam, geen leven, geen gevoel meer heb en ik afzonderlijk niet meer besta. Persoonlijk door hem tot leven gewekt, als een vrouwelijke Pinocchio, zijn Pinocchia.

Wat is toch die liefde waar Joost zo vaak over spreekt maar die hij zelf nooit heeft beleefd? Is het die ongebreidelde drift, dat uitzinnige verlangen dat Luciano bij me losmaakt? De zindering als ik aan hem denk of hij alleen maar naar me kijkt? Die zucht naar zijn woorden, zijn aanraking, zijn blikken, die hunkering?

Of is het iets hogers? Iets wat voorbijgaat aan de fysieke werkelijkheid en verder reikt dan een verschijningsvorm, een oogopslag, een gebaar. Verscholen achter de tastbare wereld. Herkenning die plaatsvindt op basis van gedeelde ervaringen uit een ver verleden. Ingefluisterd door een hogere hand. Hereniging van zielen, reeds met elkaar verbonden in andere incarnaties, andere dimensies. Vage herinneringen uit een andere tijd.

En wie bepaalt? In gedachten ga ik terug naar dat allereerste moment dat ik hem zag, zittend op de rand van het zwembad. Wat lag er verborgen achter die eerste oogopslag? Koos ik hem? Of werd ik door hem gekozen?

En zou ook ik vervangbaar zijn? Komt er een dag dat ik word ingewisseld door iemand die jonger is, gewoner, minder neurotisch dan ik? Luciano zegt van niet. Maar hoe betrouwbaar is de liefde?

Want wat als de liefde ongemerkt omslaat in gewenning, en sleur zijn intrede doet in het dagelijkse samenzijn. Dat punt van verzadiging.

Het moment dat het heilige verbond wordt verbroken en verandert in een aaneenschakeling van leugens en onuitgesproken verwijt. Het proberen te herstellen van iets wat onherstelbaar beschadigd is. Het snijdende zwijgen, de koude pijn in elkaars ogen. Is die inherent aan de liefde zelf? Er onlosmakelijk mee verbonden? Of komt die pijn enkel voort uit de vreselijke realisatie een vergissing te hebben begaan?

Wat is het toch, die liefde die kunstenaars, schrijvers en componisten door de eeuwen heen inspireerde en meer slachtoffers maakte dan alle oorlogen bij elkaar. De goddelijke weg? Is het die heilige verering die Dante voelde voor zijn Beatrice? Of buigen of breken? Het temperamentvolle machtsepos tussen Petruccio en Catherine uit Shakespeares *Het temmen van de feeks*?

Of het melancholieke lijden, de wanhoopsdaad van de jonge Werther?

Want wat als liefde onbeantwoord blijft, of erger, wordt afgewezen? De grijze lege plek waar je dan aankomt. En wat gebeurt er dan met die liefde? Houdt die domweg op te bestaan? Verdwijnt die met de teleurstelling in het niets? Kan een persoon de liefde voor twee in stand houden? Is het mogelijk van iemand te blijven houden die de liefde onbeantwoord laat? Of leeft die zonder genade voort in het hoofd en het hart van degene die is achtergebleven om deze tot wanhoop te drijven en tot in de dood te achtervolgen?

Of is de liefde niet van hier? Behoort zij toe aan hogere regionen? Kan zij niet overleven op deze koude, kille planeet? Doodt het menselijke brein, smoort het kille verstand de liefde in de kiem voordat ze werkelijk bloeien kan?

Ach, misschien is de liefde speels en onbezonnen, als een wapperende zomerjurk, een picknick in het gras. De geur van geroosterd brood en koffie, een zonsondergang. Met iedereen en alles te beleven zolang je de liefde maar meedraagt in je hart.

Tot op het bot verkleumd sta ik op en zonder een antwoord te hebben gevonden loop ik de donkere nacht in.

❖

Gisteren stond hij ineens bij me in de voortuin en keek door het keukenraam naar binnen. Mijn hart sloeg een slag over toen ik in de uitdagende groengrijze ogen keek. Onder zijn arm droeg hij een paar schilderijen omwikkeld in een oud verflaken. Hij grijnsde.

'Martin,' zei ik alleen maar terwijl ik de voordeur voor hem opende.

Zonder mijn uitnodiging af te wachten duwde hij de deur verder open met zijn voet en liep langs me heen mijn huis binnen.

'Ik wil je mening horen,' zei hij terwijl hij op zijn gemak de drie doeken uitstalde in het woongedeelte.

We staan elk aan een zijde van de houten wenteltrap zwijgend te roken en kijken naar de drie schilderijen die recht voor ons tegen de eettafel staan.

Ik ben getroffen door het bloedmooie meisje op het middelste doek. Ze is gehuld in een donkere cape en doet me denken aan een jonge zigeunerin. Ze heeft zachte amberkleurige ogen en elke facet van haar gezicht is apart omlijnd als een puzzelstukje.

'Wie is dat?' vraag ik.

'Wat zie je?' vraagt hij.

'Een vreselijk mooi meisje waar iedereen mee gezien wil worden, maar die zichzelf niets waard vind. Ze wil vliegen maar kan niet.'

'Dat klopt.'

Ik speur het doek af maar ik kan niet ontdekken waar ik dit uit opmaak, toch voel ik dit zo.

'Heb je haar gekend?'

'Ik ken haar nog steeds maar ze wil mij niet meer kennen. Ze heet Amber.'

'Je hebt dat meisje gekwetst en daarna heb je haar geschilderd. Waarom deed je dat? Zoiets moois beschadigen?'

'Ze was al beschadigd.'

'Dat is geen excuus.'

'Ik heb haar gevraagd weg te gaan.'

'En wat deed ze toen?'

'Ze is gebleven. De liefde en aandacht van de anderen waren haar niet genoeg. Ze was zichzelf niet genoeg.'

'Misschien hield ze van je.'

'Dat betwijfel ik, ik behandelde haar als *crap*, hield net zomin van haar als zij van zichzelf. Ik denk dat ze daarom is gebleven. Ze dacht dat mijn liefde haar zou redden. Dat als ik van haar zou houden, ze van zichzelf kon houden.'

Zijn antwoord verbaast me. Ik vraag me af hoe hij aan die inzichten komt.

Dit soort teksten komen uit een zelfhulpboek voor gescheiden vrouwen, niet uit de mond van een achttienjarige jongen.

'Dat over die eigenliefde heb ik niet van mezelf,' zegt hij erachteraan alsof we in gedachten met elkaar praten. 'Mijn moeder is therapeut.'

Ik probeer me de moeder van Martin voor te stellen maar

het lukt niet, ik zie alleen een hazewindhond.

'En je vader?'

'Vastgoedhandelaar, hij is steenrijk, hij doet ook iets met obligaties.'

'Hoe kom je aan dat talent?'

'Van mezelf, van God? Geen idee.'

'Je bent zeldzaam goed, Martin. Laat de anderen dit niet kapotmaken.'

'Waarom zeg je dat?'

'Omdat ik weet hoe het kan gaan met getalenteerde mensen. Hoe het gaat op kunstopleidingen. Docenten die zich als een tweederangs publiek bemoeien met het werk van de kunstenaar die zichzelf nog niet kent. De genadeloze recensies van de intellectuele criticus.'

'Is dat bij jou gebeurd?'

'Leer de technieken maar bescherm je talent,' mompel ik bezwerend.

Martin

Ik vroeg het haar in de badkamer terwijl ze me hielp met het afbikken van de tegeltjes van de douche. Anja was beneden op de bank in slaap gevallen en Sophietje probeerde ongezien kleine losliggende stukjes cement in haar mond te stoppen. Ik wist precies wat ze wilde maar wist ook dat ze het me nooit zou vragen.

'Wanneer?' vroeg ik zonder haar aan te kijken en tikte met een beitel in een handige beweging een tegel van de muur die in drie stukken kapotviel voor haar voeten.

'Wanneer wat?' vroeg ze schijnbaar achteloos, bukte zich en raapte de scherven bij elkaar.

'Mag ik u schilderen, juffrouw Menalos?'

Ze keek gespeeld verbaasd alsof het idee nog nooit in haar gedachten was opgekomen. Ze kan goed toneelspelen.

'Dat wil je toch?' zei ik zelfverzekerd.

'Ja,' zei ze kort terwijl ze de scherven in de vuilzak gooide.

'Maar geen portret, helemaal,' voegde ze er ineens aan toe. Ze probeerde me aan het wankelen brengen. Ongenaakbaar liet ik mijn ogen van achter mijn lasbril over haar lichaam dwalen en grijnsde naar haar. Ze bloosde.

'Zoals je wilt. Kom vannacht naar mijn atelier. Ik schilder het liefst 's nachts.'

Toen keek ik scheel, trok een heel raar gezicht en moest ze vreselijk lachen.

Rosa

Met een harde klap gooi ik de deur achter me dicht. De sponning trilt. Ik kan er niet tegen belemmerd te worden in mijn vrijheid. Gehaast pak ik mijn fiets en trap de donkere nacht in.

Tegen Luciano heb ik gezegd dat ik naar het park ben. Hij heeft geprobeerd me tegen te houden. Hij vindt het te gevaarlijk. Ik kan hem geen ongelijk geven. Het park wordt steeds onveiliger. Groepjes rivaliserende jongeren houden zich 's nachts op in het park en er hebben de laatste weken tientallen berovingen plaatsgevonden.

Maar ik ga niet naar het park. Het was een leugentje om bestwil. Luciano zou het nooit begrijpen. En eerlijk gezegd begrijp ik het zelf ook niet. Wel begrijp ik iets meer van het gevoel dat Anja voor de jongen koestert. De eerste keer dat ik met zijn werk werd geconfronteerd wist ik dat ik door hem geschilderd wilde worden.

Hij schildert vrouwen zoals ze werkelijk zijn. De drie vrouwenportretten kwamen dan ook recht binnen in mijn hart. Het choqueerde me enigszins, het was moeilijk te geloven dat dit het werk was van een achttienjarige. Het was alsof hij dwars door hen heen had gekeken toen hij ze portretteerde.

Zijn werk was confronterend, maar op generlei wijze te expliciet of beledigend. Hij toonde hun ware gezicht, hun naakte ziel.

De portretten weerspiegelen hun verleden, die weg die ze al hadden afgelegd. Met daaronder het onuitgesproken verlangen, de verborgen kracht, de stille droom die lag te wachten om geleefd te worden.

Ik huiverde even door het vage gevoel van herkenning. Door hem geschilderd worden betekende begrepen worden.

Het is een statige laan, bijna koninklijk met aan weerszijden krachtige berken. Hijgend kom ik aanfietsen. Aan het begin hou ik stil. Het is alsof ik word tegengehouden door een onzichtbare slagboom: verboden voor gewone mensen. De laan wordt verlicht door antieke straatlantarens en ligt er stil en verlaten bij. Op zichzelf staand en alleen, niet verbonden met de buitenwereld. Een eiland ver weg van het geneuzel van het volk. Hier wonen de rijkelui, de specialisten, de advocaten en vastgoedhandelaren. Hier is genoeg ruimte om alle daklozen onderdak te bieden. Maar deze mensen zien het leed van dichtbij niet, zij adopteren kindjes uit Colombia en Japan en geven nog geen stuiver aan een dakloze.

Langzaam fiets ik langs de schoongeveegde paden, de keurig onderhouden gazons, de rozenstruiken en de kamperfoelie. De Bentleys, Jaguars en Mercedessen staan dreigend en grommend op de oprit, klaar om aan te vallen.

Af en toe vang ik een glimp op van een tennisbaan, een verlicht zwembad en een paardenstal achter de huizen.

Bij nummer 102 stop ik. Het huis heeft een koninklijk voorkomen en kijkt me hooghartig aan, alsof het me wegkijkt. Enigszins geïmponeerd blijf ik voor het huis staan, vastbesloten me niet weg te laten kijken door een bouwwerk.

Het verbaast me enigszins dat dit het ouderlijke huis van Martin is. Ondanks zijn Gucci-zonnebril, de laaghangende Replay, de altijd zichtbare Björn Borgs, zijn Ralph Lauren-polo's, iPod, Macintosh-laptop, scooter, past hij hier niet. Net zomin als de naam Martin bij hem past.

Ik draai me een halve slag om en kijk naar het vrijstaande huis aan de overkant: het huis van Anja Rozenblad. Hier is het dus begonnen. Het verlangen naar elkaar. Ook zij paste hier niet. En in een flits zie ik de roze laarzen van konijnenbont weer bij de voordeur staan.

Met ingehouden adem zet ik mijn ouderwetse hallelujafiets tegen de brievenbus voor aan het grindpad. Het gevoel onopgemerkt te blijven voor de anderen is sterker dan ooit. Ergens hinnikt een paard.

Als ik de oprijlaan op wil lopen springt de buitenverlichting aan. Geschrokken blijf ik staan, onbeweeglijk als een verlamd konijn gevangen in de koplampen van een auto. Maar verder gebeurt er niets. Met stille voeten loop ik over de strakke grasstrook langs de oprijlaan aan de zijkant van het huis. Onhoorbaar.

Voorzichtig om hem niet te storen duw ik de garagedeur open. Maar hij is niet aan het werk, hij ligt opgekruld onder zijn werktafel te slapen. Hij heeft de capuchon van zijn donkerblauwe trui over zijn hoofd geslagen en draagt een versleten spijkerbroek met een mozaïek van olieverfvlekken. Zijn hand omknelt een penseel.

Ik ben gefascineerd door de aanblik. Zonder erbij na te denken graai ik in mijn tas en diep er een klein schetsblok op. Snel, terwijl ik nog in de deuropening sta, maak ik een paar schetsen. Het gaat vanzelf, als een onbewuste handeling. Dan beweegt hij en opent dan zijn ogen.

'Mevrouw Menalos.' Hij grijnst naar me. Ik sluit de deur.

Ook al weiger ik de jongen als man te zien, het is intens opwindend mijn kleren uit te trekken voor iemand anders dan Luciano. Martin scharrelt wat rond, stelt de lampen in en verzamelt penselen. Vanuit zijn ooghoeken neemt hij me op. Bij mijn bh en onderbroek twijfel ik. Maar dan overwin ik mezelf. Ik moet er maar eens van af: die zelfhaat, die genadeloze zelfkritiek. Als een volleerde stripteasedanseres knip ik met een beweging de bh-bandjes open en laat de bh van mijn schouders zakken. Met een resoluut gebaar trek ik mijn onderbroek uit en frommel hem tot een propje dat ik met een gemaakt speels gebaar de ruimte in gooi. Ik weet niet waarom ik het doe maar het geeft me een goed gevoel. Ik krijg zelfs zin om te dansen.

'Je hebt zeker nooit kinderen gehad.' Martin zit op zijn knieën op de grond en probeert verwoed het laatste karmijnrood uit de tube te knijpen.

Mijn buikwand trekt samen en ik heb het gevoel dat er een vijftigtal kleine krabbetjes zijn losgelaten in mijn buik die daar nu rondrennen.

'Ik schets niet, ik schilder direct met verf op doek,' verklaart hij.

'Vandaar,' zeg ik en een moment betreur ik het dat ik niet iets heb meegenomen om op mijn hoofd te zetten.

'Waarom eigenlijk niet?' vervolgt hij.

'Wat?' vraag ik luchtig en drapeer mijn lange haren verleidelijk om mijn schouders.

'Waarom geen kinderen?'

'Ik heb het niet in me, dat moederschap,' antwoord ik naar waarheid en neem een uitdagende positie aan. Ik voel me ongekend vrij vannacht.

'Heeft niet iedere vrouw dat in zich?'

'Nee, heel veel vrouwen doen of ze het in zich hebben.'

'Jij lijkt me wel een grappige moeder.'

'Grappig?' zeg ik. 'Je moest eens weten.' Het ontvalt me. Een slordige fout die ik nooit eerder maakte.

'Want?' Hij kijkt me niet-begrijpend aan.

'Ach, niets bijzonders,' zeg ik zo nonchalant mogelijk. 'Ik ben alleen totaal ongeschikt. Moeders zijn warm, rond en zacht. Ik ben lang, stenig en gratig.'

'Misschien daarom juist,' zegt hij.

Het is even stil en aandachtig volg ik zijn bewegingen als

hij de felle kleuren uit de tubes op het palet knijpt.

'Ik heb je gezien met Sophietje.'

'Dat is gemakkelijk, bij haar kan ik ieder moment weglopen.'

Weer verspreek ik me. Wat is er aan de hand? Ik heb het gevoel dat ik mijn hoofd aan het verliezen ben.

'Lieg je nu niet een beetje?'

Een beetje? Ik lieg dat ik barst maar wat heb jij daarmee te maken, bijdehand straatjoch?

'Liegen? Waarom zou ik liegen?' vraag ik met een gezicht alsof iemand me een onbegrijpelijke rekensom uitlegt.

'Omdat je het nooit zou doen?'

Ik bevind me op glad ijs maar het gesprek afbreken zou nog meer vragen oproepen.

'Wat?' vraag ik dus gespeeld onbenullig, terwijl ik het gevoel heb dat de krabbetjes nu aan mijn maagwand zijn begonnen.

'Weglopen. Dat zou je nooit doen.'

Ik voel een dringende behoefte om te gillen, het uit te schreeuwen.

Alles opbiechten, vertellen wat ik heb gedaan, zijn gezicht wit te zien wegtrekken. In plaats daarvan tover ik een verzachtende glimlach op mijn gezicht.

'In figuurlijke zin natuurlijk. Niet echt weglopen, dat doet geen enkele moeder.' Ik heb het gevoel dat ik aan het verdwijnen ben en heb moeite mijn evenwicht te bewaren. Met hoge stem ratel ik door.

'In ben gewoon niet geschikt als moeder. Ik heb het niet in me, dat kloeken en rondrennen. Je de godganse dag met een ander leven willen bemoeien. Alles in de gaten houden. Hoeveel het drinkt, hoe het slaapt of waarom het wakker is. Waarom het huilt. En waarom het niet stopt als je het vraagt. Of de melk niet te heet is maar wel warm genoeg. Je zo compleet zonder gêne in een ander te willen verdiepen. Het lijkt me een opgave. Een kunst. Ik heb daar het grootste respect voor.'

'Als het je eigen kind is denk je daar niet over na volgens mij. Dan doe je dat gewoon.'

'Ja,' zeg ik, 'dan doe je dat gewoon.' Mijn schuldgevoel is ineens zo groot dat ik spontaan begin te klappertanden.

'Heb je het koud?' vraagt hij bezorgd.

'Heel even,' zeg ik terwijl ik op de rand van de draaischijf ga zitten, 'het gaat zo wel weer over.' Hij pakt een deken, legt die over mijn schouder en zet de kachel hoger.

Martin

Ze zit te klappertanden op de rand van de draaischijf. Sinds ik in het geheim een bezoek heb gebracht aan haar beeldentuin koester ik een diepe bewondering voor de vrouw die zichzelf schuilhoudt voor de wereld. Vanavond zal ik haar schilderen. Voor het oog van de meester, door het oog van de pupil.

Zoals ze daar zit doet ze me in niets meer denken aan de kunstenares die mijlenver boven mij verheven is. Ze lijkt op een zevenjarig meisje dat na een diepe duik in het zwembad in een te grote badhanddoek is gewikkeld. Ik weet niet wat haar ineens zo van streek heeft gemaakt.

'Heb je nooit getwijfeld?' vraagt ze terwijl ze haar blote voeten bestudeert die onder de deken uitsteken. Ze beweegt haar tenen. Ze heeft mooie voeten, krachtig en slank, net iets te groot. Ze zit wat naar voren gebogen, haar lange haren vallen bijna tot op de grond.

Ik heb zin die haren te strelen, met mijn hand door die lange ravenzwarte haren te dwalen. Niet om haar te verleiden maar om haar te troosten.

Ze straalt soms zo'n oneindige treurigheid uit terwijl ze tegelijkertijd zo krachtig overkomt.

In de korte momenten dat ze me een blik in haar ogen gunt, zie ik de weg die ze heeft afgelegd, de pijn uit haar verleden. Maar het heeft haar niet verzwakt of verbitterd, het heeft haar sterker gemaakt. Krachtiger door haar lijden is ze de kunstenaar geworden die ik zou willen zijn.

'Geen moment,' lieg ik vastberaden. Steeds weer geeft ze me het gevoel dat ze het afkeurt, dat het verkeerd is, mijn relatie met Anja.

'Het heeft me gered,' doe ik er daarom nog een schepje bovenop.

'Waarvan?' vraagt ze.

'Van mijn duivelse gedachten,' biecht ik op.

Het is even stil. Ze wacht af.

'Dood te willen.'

'Dat gevoel ken ik wel,' zegt ze terwijl ze haar te lange armen om haar benen slaat en haar wang op haar knieën legt. Zoals ze daar zit lijkt ze op een reusachtige elf.

'Het gevoel hier niet thuis te horen. Het verlangen naar iets waar je je geen voorstelling van kunt maken. Weg te willen vliegen, naar een onbekende wereld. Het gevoel dat er iets ontbreekt, iets mist. Dat het nooit zal overgaan. Wat je ook doet, wie je ook bemint, hoe succesvol je wordt. Dat het nooit genoeg zal zijn. Dat je nooit die liefde zal kunnen geven, nooit dat kunstwerk zal kunnen maken dat voldoet. Die grote existentialistische leegte.'

Even is het doodstil. Alle verhoudingen vallen voor een moment weg. Ik ben sprakeloos. In een paar zinnen heeft zij datgene verwoord wat ik vanaf mijn geboorte heb gevoeld maar waar ik nooit woorden aan heb kunnen geven.

'En het kind zal je redden?' zegt ze in gedachten verzonken alsof ze zich niet bewust is van mijn aanwezigheid.

'Mooie vader zul jij worden.' Haar woorden zijn hard maar haar stem is zacht.

Weer voel ik die afkeuring, dat stille verwijt, alsof ik haar iets aandoe door van Anja te houden.

'Misschien is het goed dat we ons laten redden, ook al is het door een kind.'

Plotseling staat ze op, laat de deken van zich af vallen en opnieuw toont ze haar naakte lichaam, nu zonder enige terughoudendheid. Ze staat kaarsrecht als een wassen beeld, haar blik op oneindig alsof ze elk moment weg kan vliegen.

'Wanneer ben je ermee begonnen?'

'Waarmee?' Ze lijkt in trance.

'Je te verstoppen.'

'Dat is lang geleden. Het ging geleidelijk, in het begin had ik het niet zo in de gaten. Later begon ik te wennen aan de eenzaamheid.'

Ik schilder haar in felle kleuren, in karmijnrood, kanariegeel en azuurblauw, tegengesteld aan hoe ze zich presenteert aan de buitenwereld.

Rosa

'Ben ik dat?' roep ik verontwaardigd uit als hij mij de eerste schetsen toont.

Martin haalt z'n schouders even op. 'Ik heb je geschilderd zoals je werkelijk bent.'

'En hoe zou jij dat weten hoe ik werkelijk ben?'

'Dit is de vrouw waar je voor op de vlucht bent, waar je zo hard voor probeert weg te lopen,' zegt hij terwijl hij met ongepaste trots naast het kunstwerk poseert.

'Je bent volslagen idioot. Ik lijk wel een schreeuwerige papegaai.'

'Wacht nu maar, het is nog niet af,' zegt hij terwijl hij de penselen schoonspoelt.

Kwaad trek ik mijn kleren aan, zonder afscheid te nemen verlaat ik het atelier en spring op mijn fiets. Gedesillusioneerd fiets ik de nacht in. Ik had hier ook nooit moeten komen. Maar de gedachte laat me niet meer los. Zou het waar zijn? Leeft er in mij een felgekleurde danseres?

❖

Het was in de vroege morgen, iets had me gewekt en doen besluiten naar het park te gaan. Hij stond aan de rand van de vijver. Weerloos en alleen, met een gebogen rug. In zijn rechterhand droeg hij een broodzak waarmee hij een groep wilde ganzen voerde. Van een afstand keek ik naar hem en een donker gevoel maakte zich van me meester. Het was de angst binnenkort afscheid van hem te moeten nemen.

We gingen zitten op het bankje aan de vijver en keken naar

de hongerige, plunderende groep ganzen in het water voor ons. Blijkbaar had hij mijn gedachten opgevangen want na een lang zwijgen begon hij ineens te praten.

'Kijk, Rosa, dat daar, dat is mijn horizon,' zei hij terwijl zijn gerimpelde hand naar het grindpad aan de overkant van de vijver wees. Niet-begrijpend keek ik even opzij. We hadden het feit dat we binnen een niet afzienbare tijd afscheid van elkaar moesten nemen altijd stilzwijgend geaccepteerd, er nooit woorden aan gegeven. Het verwarde me dat hij blijkbaar ineens de behoefte voelde dit zo expliciet te benoemen.

'Of dat,' zei hij met schorre stem en hij wees op de grens van het gras en het grindpad vlak voor onze voeten. Ik schrok, dat was wel erg dichtbij.

'En daar ergens,' vervolgde hij en gebaarde in de verte naar een gebouw dat boven de stad uittorende, 'is die van jou.'

Zijn woorden gaven me een koud en leeg gevoel maar ik liet niets merken. Ik pakte zijn hand en keek in zijn glimmende ogen.

'Nog niet opgeven, Joost, nog niet,' zei ik terwijl mijn keel langzaam maar resoluut werd dichtgeknepen.

❖

Ik staar in het donker naar het plafond en luister naar het onregelmatige kloppen van mijn hart. Het laken waar ik onder heb gelegen en dat ik in mijn slaap heb weggetrapt is vochtig van mijn zweet. Luciano ligt naast me te slapen zoals alleen mannen dat kunnen, onverstoorbaar, als een zwaar ademende os. Hij ligt naakt op zijn buik en heeft zijn arm stevig over me heen geslagen, bang dat ik ervandoor ga. Het gewicht van zijn arm en zijn hete lichaam benauwen me, ik heb het gevoel dat ik langzaam aan het stikken ben.

Ik druk m'n gewicht diep in de matras om zo wat ruimte te

maken tussen zijn arm en mijn borst en ongemerkt onder hem vandaan te kunnen rollen. Stil ga ik op de rand van het bed zitten en op de tast zoeken mijn voeten de oude pantoffels van schapenvacht. Geluidloos sluip ik de wenteltrap af naar beneden. Ik heb trek in biefstuk, gebakken aardappels, sla en scharreleierenmayonaise. Het urenlange passiespel tussen Luciano en mij heeft me uitgehongerd.

Maar als ik mijn hand op de lichtschakelaar van de keuken leg hoor ik een knarsend geluid. Heel even maar. Geschrokken blijf ik staan. Het is alsof iemand het ijzeren hek aan de zijkant van het huis openduwt. Ik spits mijn oren en luister naar de gonzende stilte van de nacht. Niets. Misschien heb ik het me verbeeld. Ik knip het licht aan maar opnieuw hoor ik iets. Aandachtig luister ik. Een licht geknerp van stenen. Alsof er iemand op het grindpad loopt. Snel knip ik het licht weer uit en op de tast zoek ik me een weg door de woonkamer naar de buitenmuur en druk mijn oor tegen de ruwe bakstenen. Weer hoor ik het grind knarsen. Gedempte voetstappen.

Er is geen twijfel mogelijk, er loopt iemand langs de zijkant van het huis. Met ingehouden adem loop ik op mijn tenen terug naar de keuken. Geluidloos open ik de keukenla en gris er een klein vlijmscherp mes uit. Luciano laat ik slapen.

Het huis is aardedonker. Als een blinde sluip ik door het woongedeelte naar de serredeuren. Ik voel geen angst, alleen een verhoogde waarneming. Mijn zintuigen zijn wagenwijd geopend, het lemmet van het mes licht op in het donker. Ik weet het nu zeker, er is iemand in de tuin. Een zwak licht van buiten verlicht het atelier en een koele windvlaag waait naar binnen. Het zijraam staat wagenwijd open. Ik heb het die middag op een kier gezet om de bijtende verflucht naar buiten te laten trekken. Op de punten van mijn grote tenen loop ik stap voor stap naar het open gewaaide raam. Mijn ogen vernauwen zich tot spleetjes om beter te kunnen zien.

Nog een stap... maar net voordat ik bij het raam ben aangekomen verschijnt in het raamkozijn een gedaante. Het postuur vult de gehele opening en komt me angstig bekend voor. Voor een moment denk ik dat ik droom, ik kijk in een gekreukeld gezicht met vreemde groengele ogen. Ik kijk in de roestige oude kop van Sylvo.

Hij is nog erger geschrokken dan ik en probeert dit te verbergen. Vuil grijnst hij naar me.

'Rosa, Rosa Menalos.'

'Nog altijd even mooi,' veinst de sluwe oude vos om zichzelf een houding te geven.

'Sylvo, zeg maar Sylvo,' zeg ik en in datzelfde moment realiseer ik me dat ik hier mijn hele leven op heb gewacht, op deze confrontatie.

Er komt een kracht in me boven die sterker is dan ik. Ik laat het mes vallen, ik heb het niet nodig. Voor me staat de man die me beroofd heeft van mijn jeugd, mijn onbezonnenheid, mijn passie voor het leven. Dit is de man die mijn lichaam heeft ontheiligd en geprobeerd heeft het te verkopen.

Maar mijn werk, mijn ziel zal hij niet beroeren, met geen vinger. Als door een demon gegrepen vlieg ik hem naar zijn oude gerimpelde nek. Ik voel niets, alleen een diep gevoel van rechtvaardiging. Door de kracht waarmee hij achteruitwijkt word ik van mijn voeten gerukt. Maar ik laat niet los, diep duwen mijn vingers in het taaie vlees. Omdat hij alleen naar achteren kan word ik door het raam naar buiten getrokken.

Als een tijger stort ik me boven op hem en probeer hem onder me in bedwang te houden. Even walg ik van het idee dat ik op hem zit maar snel zet ik die gedachte weer van me af. Hier is niets prettigs aan voor hem.

En dan begin ik te slaan. Ik heb nog nooit iemand geslagen

maar nu is het mijn beurt. Het gevoel is onbeheersbaar. Blind word ik, ik stomp en sla waar ik maar kan, elk gevoel voor realiteit vervaagt.

'Hou op! Hou op!' roept hij en bedekt met zijn handen zijn gezicht om het te beschermen. Maar er is weinig plek voor genade. Zijn zielige gekerm maakt het alleen maar erger. Blind ben ik van pijn en verdriet. Diep verdrongen stukken komen naar boven. Ik heb mezelf niet meer in de hand. Ik sla, en sla maar zonder nadenken en weet op dat moment niet of ik zelf word geslagen.

Ik hou pas op als ik de stem van Luciano hoor.

'Rosa!' Zijn stem klinkt hard en dwingend.

Dan pas laat ik los. Sylvo ziet er niet best uit. Zijn ogen zijn bloeddoorlopen en zijn gezicht is bont en blauw. Ik sta op en kijk naar het zielige hoopje man voor mijn voeten. Wat heb ik gedaan?! Ik, Rosa, de geweldloze. Zwijgend kijk ik op hem neer.

'Waarom deed je het?' De vraag komt als vanzelf. 'Waarom deed je het? Waarom?' Ik blijf de vraag maar herhalen, op zoek naar het ontbrekende puzzelstukje in mijn leven. Maar hij antwoordt niet en als een gewond dier verdwijnt hij kruipend tussen de struiken.

'Rosa!' Pas als hij voor de tweede keer mijn naam roept word ik wakker uit mijn droom. Luciano hangt uit het zolderraam. Ik sta voor de serredeuren met het mes in mijn hand. De tuin is leeg en de beelden kijken me geschrokken aan.

Ik leg het mes terug in de keukenla, loop naar boven en ga in bed liggen. Ik val naast Luciano in slaap en word pas wakker rond het middaguur.

Rosa

Joost heeft zijn intrek genomen in de zolderkamer. Een zware griep heeft hem geveld. Eindelijk brak zijn verzet. Luciano en ik vonden hem in het park, rillend op de grond bescherming zoekend onder een paar struiken. Met moeite hebben we hem omhoog gehesen en naar huis gebracht.

Tussen ons in, zijn armen slap om onze schouders geslagen, zijn onwillige oude voeten slepend over de stoeptegels. Af en toe werd onze wandeling onderbroken door een zware hoestaanval. Hij stikte bijna, had het vreselijk benauwd.

De eerste drie dagen heeft hij ijlend op bed gelegen, onrustig en in de war met wijd opengesperde koortsige ogen. Hij sprak over de dood, wilde weg van hier, verlangde naar een ander leven. Angstig zat ik naast zijn bed en streelde zijn hand die krampachtig het laken omknelde terwijl hete en koude koortsgolven afwisselend door zijn lichaam trokken.

Nadat de koorts iets was gezakt heeft hij dagen achtereen geslapen. Af en toe werd hij wakker, vroeg iets te drinken en keek me met glanzende holle ogen dankbaar aan. Het eten dat ik elke dag met zorg selecteerde en 's avonds bij hem neerzette stond er de volgende morgen nog, onaangeraakt.

Op de vijfde dag is hij opgestaan. Hij heeft zich gedoucht en geschoren, en is zelfstandig de trap af gelopen.

Nu komt hij elke dag rond het middaguur even naar beneden en houdt me gezelschap. Hij zit op een hoge houten stoel dicht bij de open haard, zijn favoriete plekje. Hij is stiller geworden, in zichzelf gekeerd, praat nog minder dan voorheen. Soms lijkt hij zo ver, alsof hij in trance verkeert en een andere wereld is binnengegaan.

Op andere momenten observeert hij me van een afstand, volgt al mijn bewegingen met die intense blik. Die blik beangstigt me, alsof hij alles voor het laatst in zich op wil nemen, alsof hij afscheid van me aan het nemen is.

's Nachts schrijft hij tot in de vroege morgen. Laatst, toen ik een zwak licht zag branden en door een kier van de deur keek, zag ik hem slapen, voorovergebogen op de houten tafel, een potlood tussen zijn vingers geklemd.

❖

Luciano ligt nog te slapen. Onbeweeglijk, als een wassen beeld. Het witte laken hoog opgetrokken tot aan zijn kin. Zijn scherpe neus en dominante kin steken trots naar voren en lijken uit steen gehouwen. De lange zwarte wimpers liggen als kleine waaiers op zijn hoge jukbeenderen en verzachten zijn stenen gelaat. Sinds hij gisterenavond in slaap is gevallen heeft hij niet meer bewogen, geen millimeter. Ik daarentegen ben net een woelrat: ik heb me in mijn slaap 180 graden omgedraaid en lig momenteel met mijn wang op zijn linkervoet. Ik blijf nog even verliefd liggen op het harde bot van zijn enkel en luister naar de geluiden van de ochtend: het getrippel van de merels in de dakgoot, een tuindeur die opengaat en weer dichtslaat, een baby die huilt.

Ineens ben ik klaarwakker. Vandaag is de dag van de opening. De dag waar ik al die jaren voor op de vlucht ben geweest maar waar ik tegelijkertijd ook al die jaren naar heb uitgekeken.

Vandaag zal ik de openbaarheid zoeken en mijzelf vrijwillig uitleveren aan de wereld. Vandaag zullen de kritische ogen van onbekenden over mijn kinderen dwalen en ze minnen of haten.

Voor een moment betreur ik mijn beslissing. Ik loop de

wenteltrap af naar beneden en maak koffie voor mezelf. Luciano laat ik slapen. Een melancholiek gevoel overvalt me, ik ben zo gewend geraakt aan de afzondering dat het me zwaar valt afscheid van haar te nemen. Ik zal in de leunstoel onder de oude appelboom gaan zitten en voor de laatste keer de eenzaamheid delen met mijn kinderen. Ik wil de tuin in lopen om mijn longen vol te laten lopen met de frisse morgen maar blijf verbijsterd voor de serredeuren staan. Geschrokken staar ik door het glas naar buiten. Ik heb het gevoel dat ik hallucineer: alle beelden zijn overgoten met een helderblauwe substantie. In trance open ik de serredeuren en zet mijn blote voet op het blauwbespatte gras. Voor de beeltenis van de kleine grijnzende gerimpelde man, die de herfst van het leven verbeeldt, blijf ik staan. Ik strek mijn hand uit en met een duim streel ik de oude gerimpelde wang. De blauwe afdruk op mijn duim bezorgt me rillingen.

Dit is echt de realiteit! En dan dringt de waarheid tot me door. Vandaag zal mijn beeldentuin geopend worden en er is geen mogelijkheid dat ik deze beelden schoongewassen krijg. Het beeld van moeder aarde druipt nog van de blauwe verf. In enorme hoeveelheden is de verf over het beeld heen gekieperd.

Ik zak door mijn knieën en laat me willoos voorover vallen op het gras, van plan om nooit meer op te staan. Zo zal ik blijven liggen totdat ik sterf, onbemind en onbekend, dood tussen mijn beelden, aangevreten door ongedierte.

En terwijl ik daar zo lig, met uitgespreide armen, mijn wang in het blauwe gras geplakt, vraag ik me af wat ik voel. Ik voel niets, helemaal niets. Geen emotie, geen verdriet, geen haat. Mijn beelden zijn enkel overgoten met blauwe verf en vanmiddag is de opening.

Nadat ik een tijdje emotieloos op de grond heb gelegen ga ik rechtop zitten met een hand voor mijn ogen. Heel voorzichtig gluur ik door de smalle opening tussen mijn vingers, niet helemaal zeker over wat ik aantreffen zal. Vurig biddend dat het mijn psychotische aanleg is die de beelden voor een moment blauw heeft gekleurd. Maar niets is minder waar.

Met hernieuwd ongeloof bestudeer ik de groep blauwe gedaantes die me al even ongelovig aanstaren.

Het heeft wel iets, denk ik dan. En dan welt er van binnenuit een lach op. Het begint met een zacht gehinnik maar al snel lig ik te schaterlachen in het gras. Misschien ben ik gek aan het worden of ben ik in shock maar ik moet ineens zo onbedaarlijk lachen, om die rare beelden met hun doorvoelde gezichten, die me zo verwonderd aanstaren, om de hele situatie.

De lach is onbeheersbaar en sterker dan ik. Hij neemt volledig bezit van me. Hij tilt me op zoals de wind een vogel meeneemt. Ik stijg op en vlieg weg, recht door de takken van het goudgele bladerdak, omhoog de lucht in. Al snel zweef ik alleen boven de aarde, stijg uit boven de mensheid en observeer haar kleinzielige bestaan. Haar zelfgekozen pijn en gevangenschap, het op angst gebaseerde denken. De dagelijkse beslommeringen en onbenulligheden waar ze zich zo graag druk over maakt, het opgejaagde handelen, het zinloze tijdverdrijf.

Ik kijk terug naar de aarde en zie mezelf liggen op de grond. Gierend van het lachen, happend naar adem. Mijn handen slaan op het gras en mijn benen trappelen ongecontroleerd in het blauwe tapijt. Verwonderd aanschouw ik mezelf. Het is lang geleden dat ik zo onbedaarlijk en zo hard heb gelachen.

En ik had nooit kunnen voorspellen dat het om zoiets tragisch zou zijn. Ik lig me gewoon te bescheuren, ik kan niet meer, als een gestoorde rol ik door het blauwe gras en lach net zo lang totdat ik fysiek ben uitgeput en op mijn rug in slaap val.

Het is Anja die me wekt. Geschrokken kijkt ze naar de beelden en naar mij. Ze vraagt wat er gebeurd is.

'Ze zijn toch wel echt blauw?' vraag ik alleen maar.

'Mijn god, Rosa, wie heeft dit op zijn geweten?' fluistert ze terwijl ze met grote ogen naar het surrealistische landschap staart. Ik haal mijn schouders op en hijs mezelf uit het blauwe gras.

'Waarschijnlijk een groepje jongeren dat na een avondje stappen een geintje wilde uithalen,' mompel ik voor me uit. Het is een leugen. Het antwoord zit vanbinnen. Mijn droom was voorspellend. Het is het werk van Sylvo. Na al die jaren heeft hij me weten te achterhalen en voor de tweede maal zijn woede en frustratie over zijn eigen mislukte bestaan op me afgereageerd. Eerst mijn lichaam, nu mijn werk.

'Een groepje jongeren?' Anja kijkt me bevreemd aan. 'In een tuin waar geen mens naar binnen kan?' Ze leunt met een hand tegen de appelboom terwijl ze met een andere hand probeert haar witte gympen uit te trekken. Door het gewicht van haar buik kan ze haar evenwicht nauwelijks bewaren. Op blote voeten en met een ongelovige uitdrukking op haar gezicht loopt ze de tuin in.

Verslagen zit ik op de grond en probeer mijn gedachten op orde te krijgen. Hij heeft zijn moment goed gekozen, de sluwe oude vos. Net nu ik de moed heb verzameld de wereld – zij het op wiebelige benen – tegemoet te treden wil hij me opnieuw laten struikelen.

Er begint iets te flikkeren in mijn hoofd en voor een moment bevind ik me weer in mijn droom. Verborgen in het donker, spiernaakt, het mes in mijn hand, klaar om aan te vallen.

Maar dan gebeurt er iets vreemds. Ik knipper met mijn ogen. Het woord zweeft op nog geen anderhalve meter voor me. AFGUNST staat er in grillige groene letters in de lucht geschreven. Ik strek mijn arm uit in een poging het woord vast te pakken. Maar de letters laten zich niet zomaar vangen, het woord danst onafgebroken door, alsof het me uitlacht terwijl mijn hand keer op keer in het luchtledige grijpt. Gelaten laat ik mijn arm zakken en realiseer me dat het zinloos is. Het is niet rechtvaardig, het is niet gelijkwaardig. Dat is het nooit geweest en zal het ook nooit worden. Ik kan het niet veranderen, de wereld niet, het zieke hoofd van Sylvo niet en de anderen niet. Zolang er mensen op aarde rondlopen zal het blijven bestaan. De ziekte, de oorlog, het geweld: de macht en de vergelding. Als ik nu het zwaard opnieuw oppak, al was het enkel in mijn gedachten, verbind ik me opnieuw met hen en zal de ketting nooit worden gebroken. Het zal de vicieuze cirkel van haat en vergelding enkel voortzetten en mij maken tot een van hen.

En op datzelfde moment laat ik los en dicht zich een diepe wond. Alle pijn en verdriet, het glijdt van me af als een vervelde slangenhuid. Ik heb het niet meer nodig, dat pantser van angst en woede. Alle gedachten aan represailles laat ik varen en een heldere gedachte maakt zich kenbaar.

Hoe minderwaardig moet je jezelf voelen, hoe mislukt en slecht bedeeld, om ernaar te verlangen een ander, of iemands dierbaarste bezittingen, moedwillig te willen beschadigen? Wat vind je jezelf dan waard?

Het is ineens dodelijk stil in de tuin. De zon breekt door, valt door de takken van de hoge bomen en beschijnt mijn blauwe armen en benen. Hoog in de appelboom fluit een merel.

Anja komt van achter de bomen tevoorschijn, hoofdschuddend als een schadeadviseur.

'Boenen,' zegt ze. 'Boenen totdat alles schoon is. Ik zal Martin vragen je te helpen. Maak jij Luciano wakker. En trek iets aan.' Kordaat waggelt ze de tuin uit. Pas dan realiseer ik me dat ik alleen een hemd van Luciano draag.

Met oude lakens vegen we de beelden schoon. Met water en groene zeep boenen en schrobben we uren achtereen. Zelfs de hoogzwangere Anja helpt mee. We zingen luid mee met de muziek die uit de radio in de keuken schettert. Alles is blauw. Onze haren, onze handen, onze kleding, de keukenvloer. Tientallen emmers met sop gaan erdoorheen. Maar hoe hard we ook zingen en schrobben, het lukt ons niet de beelden terug te krijgen naar hun oorspronkelijke staat. Het granito heeft zich verzadigd aan de blauwe verf.

De beelden zijn nu grijsblauw en staren ons aan als geesten uit een schimmenrijk. Het gras rondom de beelden is veranderd in een blauw moeras en is voor bezoekers onmogelijk te betreden. Maar het gevoel dat ik de expositie door moet laten gaan is sterker dan ooit. Iets zegt me dit.

Martin belt een verhuurbedrijf en er worden vlonders besteld. Om precies halfvijf is de laatste plank gelegd.

Ik ren naar boven, spring onder een gloeiend hete douche, schrob mijn lichaam van blauw naar paars, hijs me in een tweedehands outfitje van Donna Karen, drink staand twee glazen rode wijn en zwaai, met een vriendelijk-afstandelijk gezicht, precies om vijf uur het smeedijzeren hek open. Ik zal me niet laten verpletteren vandaag.

Maar dan slaat mijn hart een slag over. In plaats van het handjevol buurtbewoners, een galeriehouder die verderop in de straat woont en een redacteur van het buurtkrantje, staat er voor het hek een menigte reikhalzend te wachten totdat ze naar binnen wordt gelaten.

Martin

Ze geeft geen krimp. Ze staat fier rechtop met trotse ogen en glimlacht afstandelijk-beleefd naar de menigte die voor het hek staat te wachten om naar binnen te worden gelaten.

Twee weken lang werkte ik samen met Anja in het geheim aan de publiciteit. Ze wist van niets, ze leest geen kranten. 'Dan kan ik niet meer leven, dat kan ik al zo slecht,' zei ze laatst.

Ik fotografeerde de beelden 's nachts, bij het licht van de volle maan, zoals ze bedoeld zijn. Met een oude Nikon-camera om mijn nek ben ik over het ijzeren hek geklommen, vlak nadat ik haar zag vertrekken naar het park: met thermoskannen koffie en dekens voor de daklozen.

Voor de stadsportretten ben ik haar huis binnen gedrongen: Anja gaf me de sleutel. Twee foto's koos ik uit: het beeld van moeder aarde en uit de serie stadsportretten het schilderij van Matthew. Ik stuurde ze samen met een persbericht naar de kranten, alle landelijke en regionale bladen.

Dit was wat ik voor haar wilde doen voordat ik vertrek.

Nadat ik die nacht een bezoek aan haar tuin had gebracht wist ik het met zekerheid: de expositie mocht niet onopgemerkt blijven.

Het is gelukt. De landelijke pers is aanwezig en de bezoekers blijven binnenstromen. Haar angst lijkt van haar afgevallen, ze beweegt zich door de menigte alsof ze nooit anders heeft gedaan.

Ik denk aan de allereerste keer dat ik haar zag, zittend achter het keukenraam en ze me in gebarentaal probeerde duidelijk te maken dat ik mijn fiets op slot moest zetten. Het moment dat ze het raam opende en me aankeek met die eindeloze triestheid in haar ogen. Die treurigheid lijkt volledig verdwenen. In gedachten fotografeer ik haar, als een toekomstige herinnering en realiseer me dat ik ook haar zal missen. Ik begon net aan haar te wennen.

Ik observeer de gezichten van de aanwezigen en peil hun reacties. Ze zijn oprecht, haar werk raakt de bezoekers. Ook zij voelen dat hier een meester aan het werk is geweest.

Een klein kaal ventje met een donkerblauw pak en een grote rode stropdas tikt op haar schouder. Hij vraagt haar iets. Ze buigt zich naar hem toe alsof ze hem niet verstaat, alsof ze niet gelooft wat hij zegt. Een sliert van haar zwarte haar valt in haar glas champagne. Ze antwoordt iets, drinkt het glas champagne in één teug leeg, draait zich af van het ventje en werpt verwilderde blikken in de tuin alsof ze iemand zoekt.

Na een tijdje vinden haar ogen die van mij. Ik grijns en hef mijn glas. Ze lacht naar me en proost met me. Dan draait ze zich weer naar het ventje en vervolgt het gesprek. Na afloop schudden ze elkaar de hand, alsof ze elkaar feliciteren met iets. Een camera flitst. Samen op de foto: de dwerg en de reuzin.

Dan gaat het snel, er wordt gekocht, rechtstreeks, zonder tussenkomst van een galeriehouder. Binnen een mum van tijd prijken er rode stickers op de levensgrote gezichten van Ziggy, Agnes, Joost, Susa, Dopy en andere anonieme daklozen. Voor het schilderij van Matthew zijn meerdere gegadigden die zich gelijktijdig aandienen en er wordt blind geboden. Het schilderij levert maar liefst 10.000 euro op. Ik voel me trots, voldaan en zoek Anja. Ze zit in een rieten stoel bij de ingang van de tuin en verwelkomt de nieuwkomers. Haar witte gympen staan naast haar in het gras en met een hand wrijft ze over haar gezwollen enkels. Ze merkt dat ik haar observeer, kijkt even over haar schouder en glimlacht lief naar me.

Vluchtig glimlach ik terug maar snel wend ik mijn blik weer van haar af, van dat lieve gezicht. Mijn schuldgevoel is zo groot dat het onmogelijk is haar nog langer in de ogen te kijken. Overmorgen vertrek ik. Een diep gevoel van schaamte doordringt me. Maar ik kan het niet toestaan, niet nu. Ik moet blijven focussen. Het zal het uiterste van me vergen om haar te verlaten maar ik kan niet anders. Onze liefde is kansloos. Ik zal haar en de baby enkel ongeluk brengen.

Maar liefde en angst schreeuwen beurtelings op zijn hardst in mijn binnenste, en lijken me te verscheuren. Ook al is ze twee keer zo oud als ik, ze lijkt zo naïef, zo jong, zo vol vertrouwen.

Het breekt me haar te moeten verlaten maar ze is beter af zonder mij. Ik kan het haar niet geven, de toewijding en veiligheid die ze zoekt.

Ik moet verder, mijn bestemming vinden. Zoals Rosa zei, het kind zal me niet redden, de liefde van een ander zal me niet redden. Ik zal mezelf moeten zien te redden, ergens in gaan geloven, waarschijnlijk in mezelf. Mijn dromen najagen, mijn talent ontwikkelen, schilderen. En schilderen kan ik overal. Maar niet samen op de bank voor de televisie met een vrouw die mijn moeder had kunnen zijn.

En toch schreeuwt elke cel in mijn lichaam me toe bij haar te blijven. Me voor altijd te koesteren in haar zachte liefdevolle armen. Ons kindje groot zien worden. 's Ochtends wakker worden tegen haar hitsige billen, stiekem in haar binnendringen als ze slaapt. Ik sluit mijn ogen, niet aan denken nu, ik moet verder, de reis maken. Misschien om erachter te komen dat ik ben weggelopen voor datgene wat me het meest dierbaar is. Ik weet dat ik het risico loop alles in één klap voorgoed te verliezen. Maar de drang om te vluchten is sterker en wint het van het verlangen voor altijd bij haar te blijven.

Rosa

Ik ben totaal overdonderd maar laat niets merken. De bezoekers blijven binnenstromen. Zelfs de landelijke pers is aanwezig. Ik vraag me af wie hier verantwoordelijk voor is.

Joost zit onder de kromme appelboom te roken. Gisteren is hij begonnen. Hij heeft zijn hele leven geen sigaar of sigaret aangeraakt en nu zit hij in mijn tuin te paffen alsof het nooit anders is geweest. Zijn linkerarm ligt ontspannen over de stoelleuning gedrapeerd en in zijn rechterhand prijkt een sigaar. Hij rookt bedachtzaam, als een echte heer.

Zou hij..? Maar het is uitgesloten dat hij hierachter zit. Zijn ziekbed van de laatste weken maakt het onmogelijk.

Ook Luciano lijkt van niets te weten. Af en toe zie ik hem voorbijflitsen met een verbaasde uitdrukking op zijn gezicht. Rondrennend om alle bezoekers van cava en gevulde kaviaareieren te voorzien.

Voor de derde keer loop ik langs Anja.

'Wie is hier verantwoordelijk voor?' fluister ik.

Ze heft haar handen met een onschuldig blik. 'Geen idee,' zeggen haar ogen. Ik weet niet wat ik ervan moet denken, volgens mij zit ze in het complot.

Ondertussen geniet ik heimelijk van mijn nieuwe rol en schrijd rond tussen de bezoekers als koningin Beatrix: geduldig luister ik naar hun vragen, leef me in in hun analyses, hoe vergezocht of stompzinnig ook, en repeteer mijn 123 gezichten. Het werkt, het verbaast me hoe gemakkelijk het me afgaat, hoe simpel dit alles is. Gewoon meedoen, het spel spelen, eenvoudig aanwezig zijn. Ik begin er plezier in te krijgen. En ineens betrap ik mezelf op een echte lach.

Er tikt iemand op mijn schouder. Achter me staat een

klein rond mannetje met een kaal hoofd gestoken in een donkerblauw krijtstreep pak.

Hij vraagt naar een prijsindicatie.

'Prijsindicatie? Geen flauw idee. Nooit over nagedacht,' wil ik zeggen, maar beheers me nog net op tijd, ik ben een beetje aangeschoten.

'Welk schilderij had u in gedachten?' vraag ik hem om tijd te rekken.

Mijn gedachten gaan razendsnel. Ik probeer me prijzen te herinneren uit mijn beginperiode als kunstenaar: de tijd dat ik nog galeries bezocht in de hoop mijn werk te verkopen. Ik reken guldens om in euro's, euro's weer terug in guldens maar de getallen rennen ongecontroleerd door elkaar in mijn hoofd.

'Schilderij? Ik ben geïnteresseerd in de tuin.'

De tuin? Juist. Ik toren boven het mannetje uit als een flatgebouw.

'En naar welk beeld gaat uw voorkeur uit?' vraag ik in shock, niet van plan ook maar iets aan dit kaboutertje te verkopen. Het is mijn levenswerk en ik zie de beelden als onderdelen van mezelf. Het zou hetzelfde zijn als iemand me om mijn linkerarm of rechtervoet kwam vragen. Maar het mannetje denkt daar heel anders over en gaat goedgemutst verder.

'Het is een beetje afhankelijk van de bedragen maar in principe gaat onze interesse uit naar de gehele tuin.'

De hele tuin? Onze interesse? Zijn ze soms met z'n tweeën? En angstig kijk ik om me heen of ik nog andere kaboutertjes kan ontwaren.

'De hele tuin,' herhaal ik dan zakelijk.

'Ik zal me even voorstellen. Davids, projectontwikkeling. We zijn bezig met stadsherstel, het gaat om renovatie van een aantal stadsparken. Uw beeldengroep is uitermate geschikt voor een van de projecten.'

Ik schud hem de hand, zijn handdruk is verbazingwekkend krachtig voor een kabouter.

'Rosa Menalos, ik moet dit even verwerken, een momentje,' zeg ik als een receptioniste die iemand even in de wacht zet.

Ik gooi het glas cava in één teug naar binnen en werp verwilderde blikken de tuin in, in de hoop dat iemand het even van me overneemt.

'Prijsindicatie? Van wat? Mijn ziel? Mijn leven?'

Automatisch gaan mijn gedachten naar Joost. Hij zit nog steeds te roken en blikt tevreden om zich heen, goedkeurend knikkend alsof hij de expositie persoonlijk heeft geënsceneerd. Hij doet me denken aan die oude toneel-Rus Sjarov, inmiddels allang overleden. Hoe heette dat toneelstuk ook alweer, dat van die andere Rus? *De Kersentuin*, dat was het: *De Kersentuin* van Tsjechov. En de naam van die vrouw, de eigenaresse van die tuin... Ranjewskaja, ineens schiet het me te binnen.

'Alte frau, weint aber lacht.' Een regieaanwijzing van Sjarov aan de actrice die haar speelde. Een favoriete gezichtsuitdrukking die ik urenlang heb staan oefenen voor de spiegel. Nu begrijp ik waarom die uitdrukking me nooit is gelukt. Mijn beeldentuin? Geëxploiteerd als een hoerenkast?

Alhoewel, de bodem van het kleine kapitaal dat ik een paar jaar geleden van een oudtante erfde is in zicht en op een uitkering hoef ik de komende jaren ook niet te rekenen. Met de leuze 'alle werk is passend' voert de sociale dienst de laatste jaren een bikkelhard beleid. Voor je het weet sta je in een apenpakje achter de kassa van een hamburgertent.

Dan zie ik de jongen. Dwars door de mensenmassa heen vinden zijn ogen de mijne. Op een veilige afstand staat hij naar me te kijken. Nonchalant tegen de kastanjeboom achter in de tuin geleund, een sigaret tussen zijn vingers en een glas cava in zijn hand. Ik kijk hem onbewogen aan. Hij heft zijn glas en grijnst uitdagend alsof hij zeggen wil: doe het nu maar.

En dan pas dringt het tot me door dat hij het is, dat hij het heeft gedaan. Een grote grijns breekt nu ook door op mijn gezicht. Ik hef het lege glas en proost met hem.

Als hij er nog staat doe ik het, denk ik. Ik zet mijn gezicht op 'financiële zaken' en haal diep adem. De kabouter staat nog steeds vlak achter me, druk bellend op zijn mobiel.

Hij breekt af, excuseert zich en kijkt me afwachtend aan.

'Goed,' zeg ik terwijl ik buiten mezelf treed, 'ik doe het. Op één voorwaarde: de beelden moeten altijd samen blijven, ze mogen nooit van elkaar gescheiden worden.' Er gaat een schok door de tuin, de kastanjeboom kraakt, het is of de beelden hebben meegeluisterd met het gesprek.

'En over de prijs', ik laat mijn stem wat dalen om de beelden niet nog meer te choqueren, 'worden we het wel eens.'

'Dan denk ik dat we een deal hebben,' roept het mannetje enthousiast en steekt breed lachend zijn kabouterhandje naar me uit.

'Gefeliciteerd,' zeggen we gelijktijdig. Een camera flitst, we poseren samen en op dat moment doe ik afstand van mijn verleden en vind ik mezelf terug in het hier en nu.

❖

De commotie rond de beelden heeft me uitgeput. De recensies waren lovend. Ik drink de woorden in, ik word niet afgemaakt zoals ik had verwacht. Het staat in alle kranten: *Stormloop op beeldentuin. Het mysterie van de blauwe beelden. Verborgen kunstschatten in achtertuin.*

Over de blauwe kleur wordt druk gespeculeerd. Sommigen denken dat het een stunt is. Weer anderen betitelen het als de bekende blauwe periode die elke kunstenaar doormaakt. Niemand kent de waarheid. En dat is ook niet nodig. Ze denken maar, ze speculeren maar.

Volgende zomer worden de beelden opgehaald, ik heb nog een jaar om afscheid te nemen.

❖

Martin is verdwenen. Het was twee dagen na de opening. Ik had Sophietje die dag van school gehaald en bracht haar thuis. Anja lag gewikkeld in een deken op de bank met betraande ogen naar haar favoriete soap te kijken toen we de huiskamer binnenkwamen. Ze reageerde amper op mijn begroeting. Ook niet op Sophietje, die van blijdschap een aanloop nam en op haar benen sprong.

'Hij is weg, Rosa,' zei ze alleen maar.

In eerste instantie dacht ik dat ze het over een soappersonage op tv had maar toen ik haar opgezwollen, behuilde ogen zag wist ik het: het was de jongen waar ze over sprak.

'Hoe bedoel je, weg?' vroeg ik maar iets in me had het al die tijd geweten.

Niet zelden was de vraag 'Hoe lang nog?' door mijn hoofd geschoten als hij als een bezorgde huisvader om haar heen kloekte, haar verwende met chocola en voetmassages.

'Gewoon weg, gisteren is hij weggegaan, zonder iets te zeggen.'

'En hoe is het nu met je?' vroeg ik toen maar omdat ik op dat moment werkelijk niets anders kon bedenken.

'Niet goed,' zei ze en barstte in een hartstochtelijk snikken uit. Ik had met haar te doen, zoals ze daar lag als een aangeschoten vrouwtjeswalvis die elk moment kon gaan bevallen. Om mezelf wat af te leiden liep ik naar de keuken en pakte een glas water voor haar.

'Weer een droom die uit elkaar spat, Rosa. Houdt het dan

nooit op?' klonk het vanuit de woonkamer.

Ik ging bij haar zitten en streelde door het zachte haar. Anja, lieve Anja.

'Wat had je dan verwacht? Die jongen is amper volwassen.'

'In het begin dacht ik net als jij, Rosa. Maar er was iets in die jongen dat hem anders maakte. Hij was zo overtuigd in zijn liefde, zo vasthoudend. Er kwam een punt dat ik hem ging geloven.'

'Misschien komt hij terug, bedenkt hij zich nog,' zei ik om haar te troosten.

'Hij komt niet meer terug, Rosa. Nooit meer. Hij heeft een brief voor me achtergelaten. Hij ligt op tafel. Lees maar,' zei ze terwijl ik vertwijfeld bij de tafel stond. 'Hij is toch weg, het maakt nu toch niets meer uit.'

Met trillende handen pakte ik het vodje papier op dat voor me op de tafel lag.

Anja,

Als je dit leest ben ik voorgoed vertrokken.
De verantwoordelijkheid is te groot.
Ik ben bang dat ik onherstelbare fouten zal maken.
Zorg alsjeblieft goed voor de baby.

Love you,

Martin x

PS Het schilderij is voor jou, de dode vis stelde je echtgenoot voor.

Mijn mond is droog.

'Goh,' kan ik alleen maar uitbrengen. Ik laat me zakken op

een stoel en staar voor me uit. Het is alsof ik door het lezen van het briefje terugvlieg in de tijd. Zeventien, achttien jaar geleden, Demian... in detail zie ik alles weer voor me, je kleine stevige voetjes, het lieve kleine ronde neusje, de perfect gebeeldhouwde oortjes. Je gewicht in mijn armen, je geur vermengd met de geur van het gras. Je kleine hoofdje dat vol vertrouwen tegen mijn schouder rust.

'Wie doet zoiets nou?' fluister ik alleen maar. 'Wie doet zoiets nou?'

Niet meer aan denken nu. Het is voorbij, verleden tijd. Ik heb het begraven, lang geleden al.

'En hoe gaat het nu verder?' vraag ik automatisch.

'Ik heb Arjo gebeld, we hebben lang met elkaar gesproken. Alles heb ik hem verteld. Hij zei dat hij het al die tijd heeft geweten. Hij wijt het aan mijn psychische instabiliteit dat ik me met die jongen heb ingelaten. Ik heb het maar zo gelaten. Hij wil me helpen, in ieder geval financieel.'

'Zou je dat nu wel doen?'

'Ik ben moe, Rosa, moe van het avontuur. Soms zou ik willen dat ik alles terug kon draaien, dat alles weer wordt zoals het was.'

We kijken elkaar in de ogen. Twee totaal verschillende vrouwen, van dezelfde leeftijd. Beiden getekend door het leven. Terugverlangend naar een tijd die is geweest. We weten dat het niet mogelijk is, we kunnen alleen nog maar vooruit.

'Hij heeft iets achtergelaten.'

Dan pas zie ik het doek dat omwikkeld met een laken tegen de tafelpoot staat.

'Maak het maar open,' zegt Anja, 'het is voor jou.'

Hij heeft gelijk gekregen, het schilderij is prachtig geworden. Een flamencodanseres op blote voeten, het gezicht afgewend, in een waterval van kleuren, dansend in de vroege morgen door de stille straten van Portugal.

Thuisgekomen, als ik het laken opnieuw afwikkel valt mijn oog op een tekst op de achterkant van het doek. *Voor Rosa, de vrouw met het glazen hart*, staat er met rood potlood op geschreven. Dan pas realiseer ik me dat ik het brutale, grijnzende gezicht missen zal.

Martin

De vliegreis heeft ons uitgeput. Een kleine bus vol deuken en krassen brengt ons naar onze eerste bestemming. Hij rijdt niet harder dan een fiets. Amber is weggedommeld tegen Harolds schouder. Ook ik heb moeite om mijn ogen open te houden, het is te benauwd. Daarbij hangt er een ondraaglijke stank van zweet en vuilnis in de kleine overvolle bus.

Ik observeer Amber. Haar mond staat een stukje open en ze snurkt zacht. Toch is ze perfect, ze lijkt wel een beeldhouwwerkje zoals ze daar zit. Ik volg de lijnen van haar lichaam en in gedachten teken ik haar uit.

Haar halslijn, de ranke schouders, haar smalle taille en sierlijke enkels. Haar kleine voeten lijken op die van een Balinese danseres, slank en krachtig alsof ze elk moment weg kan dansen.

De elegante hand rust losjes op het been van Harold. Weer verbaast het me hoe goed ze bij elkaar passen. Zoals ze daar tegenover me zitten lijken ze wel een Replay-advertentie.

Mijn oog valt op het stukje zwarte stof tussen haar stevige slanke dijen.

Ik probeer me haar smaak te herinneren, hoe het daar was, daar liggend tussen haar benen die ze afwisselend om mijn nek of middel klemde om mijn pik en mijn tong dieper in zich te voelen. Maar vreemd genoeg herinner ik me niets. De enige smaak die ik nog steeds op mijn lippen proef is de zoetzilte smaak van Anja. De honingachtige geur van haar haren. Mijn pik groeit door mijn gedachten aan haar en door de kuilen in het wegdek.

Harold kijkt me aan en glimlacht even. Ik voel me betrapt.

Voor een moment glimlach ik terug maar kijk dan snel naar buiten. Naar het voorbijglijdende Thaise platteland: de scheefgetrokken huisjes opgetrokken uit sloophout dat we in Nederland nog niet voor de open haard zouden gebruiken, dakjes van golfplaat, scharrelende kippen, een paar kinderen amper aangekleed zittend op de lemen grond. Wachtend op iets wat nooit zal komen. Drie magere koeien die staan te verbranden in de felle middagzon.

Nog steeds kost het me moeite Harold recht aan te kijken. Hijzelf schijnt nergens last van te hebben. Sinds Amber heeft besloten mij te vergeven voor mijn botte gedrag is ook hij weer een en al vriendelijkheid. Ik vind het onbegrijpelijk. De gedachte alleen al dat een andere man naar Anja kijkt met het verlangen haar aan te willen raken maakt me moordlustig.

De gedachte dat iemand haar roze billen streelt, grommend in haar binnendringt, doet me balanceren op de rand van krankzinnigheid.

Anja, mijn Anja, hoe zou het met haar zijn? Ze kan nu elk moment bevallen. Naarmate de afstand tussen ons groter wordt neemt de pijn in mijn borst toe. Ik heb er geen idee van hoe ik dit ga overleven maar ik ga er voor het gemak maar van uit dat de pijn die me nu al ondraaglijk voorkomt zal slijten op den duur. Ik voel me een gapende wond, een schreeuw om liefde. Liefde waar ik uiteindelijk voor ben weggelopen. Mijn schuldgevoel is zo groot dat ik ondanks de pijn op mijn borst, de benauwdheid, de stank en het hobbelige wegdek wegglijd in een korte droomloze slaap.

Rosa

Geluk en ongeluk lijken zich op te stapelen als willekeurige gebeurtenissen. Vandaag is een donkere dag. Er is iets vreselijks gebeurd. Vannacht heeft Joost zich opgehangen aan een boom in het park. Dezelfde boom waar ik je ooit heb weggelegd. Ik probeer de dag te wissen, de gebeurtenis weg te denken, ongedaan te maken. Maar het lukt me niet, steeds weer dringt de gruwelijke realiteit zich aan me op.

Hij heeft een touwladder gemaakt en is naar boven geklommen. In de ladder zat een strop verwerkt. Dopy heeft hem in begin van de avond nog zien staan terwijl hij het ene uiteinde van het touw aan de onderkant van de boom knoopte en het andere uiteinde om een tak probeerde te slingeren.

Toen Dopy hem vroeg wat hij aan het doen was leek hij in trance, hij zei dat het een uitkijkpost was voor de smerissen. Dopy had het wel een cool plan gevonden. Voor een moment vervloekte ik Dopy om zijn drugsgebruik en zijn onscherpe blik.

En nu is hij dood. Joost, mijn enige echte vriend. Ik heb de longen uit mijn lijf geschreeuwd toen ik hem daar zag hangen. Met bungelende armen en benen als een lorrenpop. De brandweer heeft hem naar beneden gehaald, het was een afgrijselijk gezicht. Langzaam lieten ze hem zakken, stukje voor stukje terwijl de geschrokken voorbijgangers toestroomden en langzaam een menigte vormden.

Het leek een eeuwigheid te duren voordat hij beneden was. Met gebogen hoofd alsof hij de schuldige was. Medeplichtig aan het leed van de wereld, de wereld die hem te veel geworden was. Joost had het opgegeven. Ik voelde me verraden, niet door hem maar door de wereld, de wereld die had toegekeken en niets had gedaan. De wereld die hem had opgejaagd, hem zo moe had gemaakt. Met een zachte plof belandde hij in het gras.

Om zijn pols zat een plastic tas geknoopt met daarin een bundel papieren.

Voor Rosa, stond erop geschreven. Met daaronder mijn volledige naam en adres. De recherche heeft me de tas met papieren gegeven. Ze vroegen of ze nog iets voor me konden betekenen.

'Breng hem naar mijn huis,' zei ik.

En nu staat hij opgebaard in mijn atelier. Vanmiddag hebben ze de kist gebracht en hem op ijs gezet.

Het is allemaal nog zo onwerkelijk. Ook al ben ik ervan overtuigd dat Joost nu voortleeft in een andere wereld, ik kan het maar niet bevatten. Soms denk ik dat ik het allemaal droom, en hij elk moment weer kan ontwaken. Steeds weer loop ik naar het roodfluwelen gordijn om mezelf ervan te overtuigen dat hij echt dood is. Het geeft me een veilig gevoel om daar zo bij hem te zitten. Ik pak de koude blauwe handen en praat tegen hem: vertel hem hoe ik oneindig veel ik van hem hou en ik hem zal missen. Ik ben ervan overtuigd dat hij me hoort.

Ik verzorg hem als een pop: ik was zijn gezicht, kam zijn witgrijze haar en trek hem het jasje aan dat hij droeg op kerstavond. Mijn Geppetto, mijn maker, mijn vriend.

Met dichtgeknepen ogen fluister ik verhalen in zijn oude koude oren, die langzaam aan het verkleuren zijn. Ik vertel hem verhalen, verhalen over de wereld, over de anderen, over mezelf: mijn liefde voor Luciano, de verkochte beeldentuin, mijn twijfels en onzekerheid. Mijn angst voor het leven, voor de wreedheid en het geweld in de wereld. En alle kleine dingen die ik hem nog vergeten was te vertellen.

Verdrietig kijk ik naar het koude vredige gezicht. Wat zou ik ervoor overhebben hem nog een keer antwoord te horen geven, te luisteren naar zijn wijze woorden, de mooie zilverkleurige ogen opnieuw open te zien gaan.

En terwijl ik daar zo zit en me wanhopig de klank van zijn stem probeer te herinneren, vervaagt de omtrek van zijn lichaam en de wereld om mij heen.

Het is alsof zijn geest zich voor een moment losmaakt van zijn dode lichaam en oprijst uit de kist. Het bezorgt me rillingen. Doodsbang dat het mijn sluimerende psychose is die in alle hevigheid is teruggekeerd doe ik een paar passen achteruit om snel achter het gordijn te kunnen verdwijnen.

Maar dan gebeurt er iets wonderlijks, langzaam schudt hij zijn hoofd en geruststellend glimlacht hij naar me.

'Blijf,' hoor ik hem fluisteren, 'niet weggaan.'

Vertwijfeld sta ik bij het gordijn, niet zeker of ik met een waanbeeld te maken heb.

'Je bent niet ziek, Rosa, je bent nooit ziek geweest. En ik ben nooit echt doodgegaan.' Weer glimlacht hij.

'Er is meer tussen hemel en aarde dan uw geest kan bevatten, mijn vriend Horatio.'

Argwanend kijk ik naar hem, niet wetend of een duistere kracht een wreed spel met me speelt.

'Bewijs het me,' zeg ik met schorre stem. 'Bewijs me dat je echt bent, dat ik niet opnieuw gek geworden ben.' Mijn stem hapert.

'Steek je hand naar me uit.'

Ik verzamel moed, doe een stapje vooruit en onzeker steek ik een trillende hand naar hem uit.

'Raak mijn gezicht aan.'

Verbijsterd zie ik hoe mijn hand door zijn gezicht glijdt

terwijl hij blijft glimlachen. Wonderlijk. Zijn lichaam ligt nog steeds doodstil in de kist.

De woorden komen binnen als een fluistering in mijn hart.

'Twijfel niet meer, Rosa, twijfel nooit aan je gevoel, je intuïtie, het is het enige kompas waarmee je altijd thuiskomt, hoe ver je ook bent afgedwaald. Kijk naar het verleden, toen heb je die stem genegeerd, die stem die je waarschuwde en vertelde wat je moest doen. Het is niet je innerlijke stem, het is de twijfel die je gek maakt.'

Ik val voorover door zijn glimlachende gelaat en leg mijn wang tegen zijn borst. En ondanks het kille lichaam doordringt me een diepe warmte.

'Zal het ooit overgaan?' fluister ik. 'Zal het ooit overgaan?'

'Het zal overgaan, Rosa, het zal overgaan. Als de laatste mens van deze aarde is heengegaan zal het over zijn. Met de laatste mens zal ook de angst en de haat verdwijnen.'

'Maar is dan niet alles voor niets geweest? Het lijden, de oorlogen, het geweld, de ervaringen? Als we uiteindelijk toch sterven, afknappen als dode takken.'

'De dood bestaat niet, Rosa. Het is allemaal zo oneindig veel groter, zoveel mooier.'

'Waarom deed je het?' De vraag ontglipt me, het laatste wat ik wil is hem een schuldgevoel aanpraten.

'Ik was moe, Rosa, zo vreselijk moe, voelde me zo opgejaagd. Het leven gaf me geen kans uit te rusten, te herstellen. Ik was op.'

Stevig druk ik mijn wang tegen de dode borstkas. Het verlangen me aan hem te verbinden is sterker dan ooit.

'Neem me mee, alsjeblieft. Ik heb hier niets te zoeken.'

'Het gaat niet, Rosa. Jij moet verder, afmaken waar je aan begonnen bent.'

'Ik zal over je waken, ik zal altijd bij je zijn.' En ik voel de oude sterke hand die liefdevol mijn haren streelt.

Martin

Een straal zonlicht valt door het raam naar binnen en raakt mijn gezicht. Het is nog steeds benauwd in de kleine hotelkamer. Amber ligt naakt tegen me aan geplakt, als een bosnimf tegen een boomtak. Harold ligt achter haar te slapen, zijn hand om haar buik geslagen, zijn kin in de holte van haar hals. Ik bestudeer het stille, vredige gezicht. Gisterenavond zag ik dat gezicht klaarkomen, terwijl ik in de kleine tepels van Amber beet.

Was het vermoeidheid? De schuld van de minibar die we voor eenderde hadden leeggedronken? Of was het simpelweg het verlangen me te bevrijden van het pijnlijke doffe gevoel in mijn hart?

Bij aankomst in het hotel hadden we ons, dodelijk vermoeid door de busreis, die de halve dag in beslag had genomen omdat er een kudde geiten op de weg stond, op het tweepersoonsbed laten vallen. Harold en ik met ontbloot bovenlichaam omdat de hitte ook aan het eind van de dag nog overweldigend was en het rammelende ventilatortje enkel warme lucht het kleine vertrek in blies.

We dronken bacardi-cola en fantaseerden over ons bestaan als een nieuwe kunstenaarsdrie-eenheid die de langverwachte vernieuwing binnen de kunstwereld zou brengen.

Ze lag horizontaal tussen ons in, mijn heup als hoofdkussen gebruikend en met haar kleine voeten op zijn buik. Hij streelde met gesloten ogen de ranke nimfenvoet. Ze ging iets verliggen met haar gezicht uitdagend naar me opgeheven.

'Dat kriebelt,' giebelde ze terwijl ze haar achterhoofd

zacht tegen mijn pik aanduwde. Hij werd direct hard maar ik durfde haar in het bijzijn van Harold niet zomaar aan te raken.

Ze pakte mijn hand, speelde er wat mee, en legde hem toen zacht op het blote stukje huid dat onder haar korte T-shirt uit kwam.

Ik keek even naar Harold. Hij lag naar me te kijken en zonder zijn blik af te wenden gleed zijn hand omhoog en streelde hij de binnenkant van haar benen. Ze kreunde. Toen wist ik dat ik niets te vrezen had. Mijn hand kroop onder het natte bezwete shirt en vond zijn weg naar de kleine harde tepel. Wat er daarna allemaal gebeurde kan ik niet meer navertellen. Ik weet wel dat ik mijn best heb gedaan de broeierige blik in zijn ogen zoveel mogelijk te mijden.

Hij beweegt en kijkt me door zijn oogharen even slaapdronken aan.

'Goedemorgen,' mompelt hij. Zijn mondhoek krult even alsof hij zich alles weer herinnert. Dan draait hij zich om en slaapt verder. Ik kijk op mijn mobiel, het is zes uur in de morgen. Met een snelle sprong ben ik uit bed en open het raam om wat frisse lucht in te ademen. Andere geuren, onbekende geluiden waaien door het raam naar binnen en vullen het vertrek.

Ik kijk naar beneden, naar de lege straten van Bangkok, iedereen slaapt.

Alleen twee straatvegers doen hun werk. Ritmisch zwiepen hun bezems over de nog uitgestorven straten. Een dronken toerist komt lallend voorbij.

'Wat doe ik hier?' De stem komt uit mijn binnenste. 'Wat doe ik hier terwijl je elk moment geboren kan worden? Wie zal er voor je zijn om je te verwelkomen op deze wrede aarde?'

'Teruggaan,' fluistert de stem. 'Jij bent de vader. Niemand anders kan die taak vervullen.'

'Teruggaan? Terwijl ik net ben aangekomen.'

'Ja, teruggaan', de stem houdt aan, 'als je nu vlucht zal je je hele leven op de vlucht zijn.'

Ik draai me om naar het bed. Ze zijn perfect zoals ze daar liggen, ze horen bij elkaar. Mijn gezelschap zal verstorend werken en uiteindelijk alles tussen hen kapotmaken.

'Teruggaan,' herhaalt de stem, 'hij kan nu elk moment geboren worden.'

Ik pak mijn rugzak, die onuitgepakt bij de deur staat en sluip op mijn tenen de kamer uit. Ik neem de lift naar beneden, laat een briefje achter bij de receptie en laat me door een taxi naar het vliegveld brengen. Misschien ben ik nog op tijd.

Rosa

Hij kan nu elk moment worden opgehaald. Verloren zitten we rond zijn kist. Ziggy, Agnes, Dopy, Matthew, Anja, Luciano en ik. Snikkend en biddend als de zeven dwergen met de kinderlijke hoop dat hij zo meteen een stukje appel ophoest en lachend zijn ogen openslaat. Maar de mooie zilverkleurige ogen zijn voorgoed gesloten.

Het nieuws dat Joost een einde aan zijn leven heeft gemaakt heeft zich verspreid als brandende benzine. Van heinde en verre zijn ze gekomen. Uit alle uithoeken van het land en uit verschillende grote steden hebben de zwervers zich in alle vroegte in mijn beeldentuin verzameld om afscheid van hem te kunnen nemen. Maar niet alleen zwervers, ook zijn vroegere lezers, mensen uit de literaire wereld, oude vrienden en bekenden uit het leven met zijn vrouw Anna zijn gekomen om Joost zijn laatste eer te betuigen.

Het is dan ook een vreemdsoortig gezelschap dat hem die dag in alle vroegte uitgeleide doet. Somber en stil zet de stoet zich in beweging. We zijn geschrokken en in de war.

De lucht is grijs en het is opvallend stil op straat. Alsof de wereld voor een moment zijn adem inhoudt. De vogels zingen niet, er rijdt bijna geen verkeer en zelfs de anderen maken geen geluid.

Agnes is ontroostbaar. Ze loopt voorop met gebogen hoofd. Gekleed in het wit als een vergeten bruid. Achter haar loopt Ziggy met een grote grijns op zijn gezicht. Hij is er vast van overtuigd dat Joost voortleeft in een andere wereld en op het moment naast hem loopt.

Ik draag de te grote grijze jas van Joost en voel me wonderlijk sterk. Het is alsof door het dragen van de jas een beetje van zijn kracht op mij is overgegaan. Luciano loopt naast me, rechtop, keurig in driedelig pak. Ergens verwondert het me dat hij naast me loopt, dat hij nog steeds bij me is, nooit is weggegaan.

Hij lijkt mijn gedachten te raden, kijkt me bemoedigend aan en knijpt even in mijn hand. En op dat moment realiseer ik me dat ik van hem hou. Dat hij bij me hoort. Niet omdat het was voorbestemd, we gemaakt zijn uit een rib of omdat onze namen ergens geschreven staan. Nee, omdat hij deel is gaan uitmaken van mijn leven. Me de kracht en het vertrouwen in de wereld heeft teruggegeven en er voor me was toen ik het moeilijk had. Omdat hij nooit is weggegaan.

We staan in een cirkel rond het graf. Een zonnestraal breekt bemoedigd door het bladerdak van de bomen. Dopy houdt een toespraak. Hij heeft vreselijk getwijfeld maar uiteindelijk toch de moed gevonden. Zijn wat onbeholpen en eerlijke manier van spreken raakt me diep. We voelen ons allemaal vreselijk verlaten nu Joost van ons is weggegaan.

Ook al was hij een last voor de maatschappij, een verdorvene, voor ons was hij een vader, een houvast in een onzekere, liefdeloze wereld.

Ik denk aan de nachtelijke gesprekken op het bankje aan de rand van de vijver, aan zijn raad en wijze woorden. Hoe hij aandachtig naar me kon luisterde zonder me te onderbreken. Aan ons laatste gesprek.

Ik onderdruk het verlangen op de rand van het graf te gaan zitten, me in het gat te laten zakken, de zwarte aarde over me heen te laten storten en me levend te laten begraven, met hem. Ik denk aan Sophietje en Anja, Agnes, Ziggy en alle anderen. Over het graf heen kijk ik naar Luciano. Zijn zwarte ogen raken de mijne. Hij knipoogt naar me.

Ik sluit mijn ogen en breng de magnolia voor een moment naar mijn hart. Dan laat mijn hand de geknakte steel los die ik omknel en dwarrelt de bloem omlaag om voorgoed in het hart van Joost te verdwijnen.

❖

In diezelfde nacht werd hij geboren. Met wijd open ogen zat ik op de tweezitter in mijn atelier voor me uit te staren toen er op het keukenraam werd gebonsd. Het was Sophietje, het raam trilde ervan.

'Meekommen, meekommen! Ik heb een boertje gekregen,' schreeuwde ze opgewonden terwijl ze op en neer sprong. Snel griste ik een paar witte rozen uit de voortuin en haastte me het huis van Anja binnen. Van de lijkkist naar de wieg, flitste het door mijn hoofd terwijl ik achter Sophietje de trap op liep. Een onverklaarbare opwinding maakte zich van me meester, ik moest me inhouden om de trap niet op te stormen. Een diep gevoel van dankbaarheid en liefde deed mijn hart bijna ontploffen van geluk.

Er hangt een serene stilte in de kleine kamer die Martin en ik speciaal voor haar en de baby hebben ingericht. De luxaflex zijn opgelaten en een zacht blauw schijnsel valt in banen door het hoge raam naar binnen. De konijnen die Martin en ik op de muur hebben geschilderd huppelen vrolijk rond en snuffelen als begroeting even aan mijn voeten. Het kietelt.

Anja ziet er bezweet en gelukkig uit. Haar ogen stralen.

Voor het raam naast de antieke wieg met kanten sluier staat een jong verpleegstertje met een bord beschuitjes in haar hand. Naast het bed zit een wat oudere heer met zwartgrijs haar die Anja's hand vasthoudt. Hij heeft een vriendelijk-beleefd voorkomen en wat grote bolle ogen. De ogen van een vis, denk ik terwijl ik naar de andere kant van het bed loop en Anja omhels.

'Gefeliciteerd,' fluisterde ik.

'Gecondoleerd,' zegt ze.

Ik duw mijn tranen weg en leg de witte rozen op het voeteneinde van het bed. De man legt zijn hand in de mijne. De hand van een arts, koel en onderzoekend.

'Ik geloof dat ik je moet bedanken.' Zijn stem is warm en aangenaam.

'Ze heeft het toch zelf gedaan,' zeg ik en te laat realiseer ik me de dubbelzinnigheid van mijn opmerking.

Opnieuw kijk ik naar Anja. Haar gezicht staat zacht en ze kijkt me aan met grote vochtige ogen.

'Het is een jongetje,' fluistert ze, 'een ieniemienie-mannetje, piepklein.' De man staat op, geeft me opnieuw een koude hand, kust Anja op haar voorhoofd en vertrekt met een huilende Sophietje op zijn arm.

Op mijn tenen sluip ik naar de wieg.

'Ademt hij nog?' vraagt Anja.

Gespannen sta ik voor de wieg en mijn hart bonkt wild tegen mijn ribbenkast als ik met een hand de zachtblauwe sluier opzij duw.

In de wieg ligt een prachtig mannetje, met donker haar en een licht getinte huid. Hij is gewikkeld in een blauw dekentje en ligt met zijn stevige knuistjes omhoog te slapen.

'Mag ik?' vraag ik en ben ineens heel zenuwachtig. Het is de eerste keer sinds Demian dat ik naar een baby durf te kijken, laat staan durf aan te raken. Al achttien jaar doe ik mijn best zo ver mogelijk uit de buurt van pasgeborenen te blijven. Bang dat er iets misgaat als ik in de buurt ben. Toch wil ik maar een ding, het kindje heel dicht tegen me aandrukken, het in mijn hart opsluiten, het nooit meer laten gaan. Huiverend strek ik mijn armen uit, til hem uit zijn bedje en neem hem in mijn armen.

Vol ontzag kijk ik naar dit nieuwe leven. Het is een prachtig jongetje, bijna net zo mooi als Demian toen. Een klein rond neusje, stevige knuistjes, perfect gebeeldhouwde oortjes.

'Hoe heet hij?' vraag ik en trek het dekentje iets steviger om hem heen.

Dan vertraagt de wereld om mij heen, vervaagt en valt stil. Mijn oog blijft hangen op de losgetrokken zwarte draad die nog net de letter D vormt.

'Ik twijfel nog.' Haar stem klinkt vanuit een ander universum.

'Gaat het wel?' informeert de verpleegster.

'Uitstekend, het kan niet beter,' pers ik eruit. Wankelend zoek ik met een hand houvast aan de stoel achter me. Met mijn andere hand druk ik het jongetje stevig tegen m'n borst.

'Laat je hem niet vallen?' lacht Anja. Een paar seconden is het zwart.

De deur wordt opengeduwd, een lichtbundel valt naar binnen. Nog net op tijd, voordat ik onderuitga laat ik me op de stoel zakken.

'Demian,' fluister ik.

De jongen staat in de deuropening naar me te kijken. Het mannetje beweegt in mijn armen, zucht even en slaat dan zijn ogen op. Hij kijkt me recht aan. Vreemde ogen, goudgroen met donkere spikkeltjes.

Rosa

Ontroerd leg ik de laatste pagina naast me op de grond. De recherche had me de plastic tas met de bundel papieren gegeven. *Tweemaal zeventien* stond er op de envelop geschreven, *Voor Rosa, de vrouw met het glazen hart.* En daarin zat mijn leven, het leven dat ik nooit heb geleefd.

De hele nacht zijn we opgebleven en om beurten hebben we elkaar voorgelezen. Het was alsof door het lezen van het verhaal Joost nooit was doodgegaan.

Dopy en Matthew zijn op de grond in slaap gevallen en Ziggy is de tuin in gelopen. Waarschijnlijk om na te denken over zijn wonderbaarlijke genezing die in het boek stond omschreven. Dopy vond het wel een cool verhaal over die kippen en Matthew voelde zich vereerd dat zijn portret zoveel had opgeleverd. Alleen Agnes is ontroostbaar nu blijkt dat Joost al die tijd van haar heeft gehouden en ze nooit woorden aan hun liefde hebben durven geven. En nu is hij dood en ligt opgebaard in mijn atelier. Stil staat ze voor de serredeuren en tuurt gebroken door het glas naar buiten. Een kleine traan kruipt traag over haar gerimpelde wang.

Langs de kist kijk ik de tuin in. Hij ligt er verlaten bij. Om het smeedijzeren hek hangt nog steeds een slot. Zelfs de beelden hebben een verloren uitdrukking in hun ogen. Alsof ze met ons meetreuren om de dood van Joost.

Ik loop naar buiten, ga onder de kromme appelboom zitten en overdenk mijn leven. Ik voel mij net een mus die is achtergebleven terwijl alle anderen allang zijn uitgevlogen. Al die jaren die ik voorbij liet gaan, zonder in te grijpen. Alle kostbare tijd, de dagen, uren en minuten die verdwenen in het niets. Door angst en twijfel. Door die ene gebeurtenis. Die ene gebeurtenis die me het gevoel heeft gegeven niets toe te kunnen voegen aan een wereld waarin alle plaatsen al bezet leken.

Mijn ogen dwalen door de tuin en blijven hangen bij het beeld van moeder aarde. De lege buik. Ik keer terug naar het moment dat ik je achterliet in het park. Demian. Wat gebeurde er met je nadat ik je achterliet in het park? Door het lezen van het boek ben je ineens zo dichtbij. Omdat ik verder geen enkele herinnering aan je heb, ben je altijd klein gebleven voor mij, zo klein als op de dag dat ik je neerlegde tussen de wortels van de oude kastanje. De gedachte dat je man aan het worden bent en op een belangrijk punt in je leven staat is nooit bij me opgekomen. Demian.

Welke naam hebben ze je gegeven nadat je werd gevonden? Waar ben je nu? Ik welk land, welke stad, welke straat?

En opnieuw komen de personages uit het boek in mijn hoofd tot leven. Ik denk aan Harold en aan Amber, het meisje dat van je hield. Aan Anja Rozenblad, de vrouw wier leven je redde. Iets zegt me dat ze echt heeft bestaan en ik vraag me af of ik haar op een dag zal ontmoeten.

Aan het Indonesische mannetje met de naalden, het jurkje met de vlinders en de gouden sandalen. Aan de jongen die ik die dag zag zitten op de rand van het zwembad. Ik vraag me af hoe hij heet.

En voor het eerst sinds jaren stijgt er een doodgewaand platvloers verlangen in me omhoog. Ik heb behoefte aan de anderen. Ik wil ze horen praten, horen lachen, zien kijken naar elkaar.

Ik besluit naar het zwembad te gaan.